Aurelia Spendel (Hg.)

freisein

HERDER spektrum
Band 6040

Das Buch

Vom Terminkalender bis hin zum Kleiderschrank – unser Leben ist vollgestopft und überfüllt. Ein Zuviel, das sich als drückender Ballast erweist. Aber es geht auch anders: Ob „work-life-balance", „downshifting" oder „simplify your life" – die Kunst des einfachen Lebens gewinnt in Zeiten des Wohlstands neue Attraktivität. Unnötigen Ballast abwerfen, das Wesentliche entdecken.
Das Kloster als Ort der Besinnung und des Verzichts verspricht uns einen Weg aus dem Termin- und Konsumzwang. Jahrhundertealte klösterliche Traditionen der äußeren und inneren Befreiung dürfen wir neu entdecken. Die befreiendsten Texte von den Anfängen bis zur Gegenwart monastischer Literatur zeigen uns die Fundamente des Klosterlebens. Und sie machen deutlich: Die Weisheit aus dem Kloster ist eine Kraftquelle für unseren Alltag – sie kann dem „Weltmenschen" von heute eine Hilfe sein. Ein unentbehrlicher Wegweiser hin zu einem befreiten Lebensstil.

Die Herausgeberin

Aurelia Spendel OP, geb. 1951, Dr. theol., ist seit 1998 Dominikanerin und war bis 2007 Priorin des Klosters St. Ursula in Augsburg. Sie ist Dozentin an Universitäten (Schwerpunkt: Spirituelle Theologie) sowie in der Erwachsenenbildung, begleitet Ordensgemeinschaften in Veränderungsprozessen und ist Autorin zahlreicher Bücher.

FREISEIN

Weisheit aus dem Kloster

Herausgegeben von

Aurelia Spendel

FREIBURG · BASEL · WIEN

www.herder.de

Umschlagkonzeption und -gestaltung:
R·M·E Eschlbeck / Botzenhardt / Kreuzer
Umschlagmotiv: © Caro / Bastian
Foto der Herausgeberin: © Micha Pawlitzki

Zusammenstellung der Texte: Johannes Sabel

Satz: Weiß-Freiburg GmbH – Graphik & Buchgestaltung
Herstellung: fgb freiburger graphische betriebe
www.fgb.de

Gedruckt auf umweltfreundlichem, chlorfrei gebleichtem Papier
Printed in Germany

ISBN 978-3-451-06040-3

INHALT

Weisheit aus dem Kloster

Vorwort zur Reihe

Weisheit aus dem Kloster ist eine Reihe für Menschen, die mehr als alles wollen. Jeder Band widmet sich einem Thema klösterlicher Lebensweisheit, das sich für jeden und jede erschließt, der bzw. die über den Horizont des Alltags hinausschauen und dabei das Leben in seiner Fülle erahnen möchte.
Ohne die Erfahrungen jener Frauen und Männer, Schwestern und Brüder, die sich seit dem Beginn der monastischen, apostolischen wie kontemplativ gewichteten, christlichen Lebensweise zugemutet haben, ihr klösterliches Leben mit allen Sinnen zu leben, gläubig und weltoffen, unverkrampft und immer wieder in fruchtbaren und leidenschaftlichen wie in schmerzlichen Auseinandersetzungen, gäbe es keine Weisheit aus dem Kloster. Sie sind in allen historischen Phasen und geistes- wie glaubensgeschichtlichen Epochen des Klosterlebens zu finden. Ihnen sei gedankt. Stellvertretend nenne ich hier den Namen meiner eigenen Formationsleiterin, Dr. Benedikta Hintersberger OP, die mir den Zugang zur klösterlichen Lebensweise und -weisheit gewiesen hat, ein Weg, der abenteuerlicher und erfüllender nicht sein könnte. Ihr sei dieses Werk gewidmet.

Danken möchte ich auch meiner Mitschwester Sr. Eleonora Weiß OP, die mir, als ich handlädiert nicht selbst alles zu Papier bringen konnte, kundig und geduldig ihre Zeit und Hilfe zur Verfügung gestellt hat.

Am Fest der Begegnung von Maria und Elisabeth
02. Juli 2008
Dr. Aurelia Spendel OP

freisein –
einfach leben

FREIHEITSZEIT

Die wesentlichen Ressourcen des Lebens können Menschen nicht machen – unter keinen Umständen, weder die Zeit noch die Liebe, weder die Sehnsucht noch den Himmel. Deshalb ist zum Beispiel die Zeit unendlich kostbar. Mit ihr muss man vorsichtig umgehen; einmal vertan, ist sie für immer vergangen und kann nie wieder gefüllt werden. Die Unfreiheit in der Gestaltung von Zeit ist dabei nur eine der vielen Einengungen, unter denen die Menschen leiden. Der Druck des Machen- und Leistenmüssens, das Zuviel wie das Zuwenig an Besitz, Anerkennung, Macht oder Einfluss, Beziehungen, Begabungen oder Chancen zerdrückt die empfindlichen Sensoren der Seele und baut Mauern um das Herz, sodass es nicht mehr frei und unbeschwert schlägt.

Im Alltag vieler Menschen gibt es selten die Freiheit, sich mit sich selbst und mit Gott zu beschäftigen, das Gebet als Weg zu sich selbst und zu Gott zu entdecken, frei zu sein von „weltlichen" Sorgen. Der Weg zu mir selbst, der Weg zu den Mitmenschen, der Weg zu Gott ist oft verstellt von Äußerlichkeiten, Oberflächlichkeit oder Orientierungsnot. Im Kloster muss das nicht anders sein; aber dort ist mehr zu Hause. Dort entfaltet sich die zeitenlose, die besitzlose, die ichlose Ewigkeit Gottes. Dort wo die Ewigkeit in das Leben hineinreicht, müsste es leichter sein zu lernen und zu leben, wie man menschengerecht mit der Zeit umgehen kann. Die landläufige Meinung stimmt: Es könnte im Kloster leichter sein, frei zu leben von der Zeit und von den Dingen dieser Welt. Aber: Auch hier ist die Welt zu finden, auch hier ist die Zeit knapp – oder unendlich lang –, und der Druck des Alltags ist groß. Und doch: Klöster haben in ihrer jahrhundertelangen Tradition einen Erfahrungsschatz erworben, der im „profanen" Leben helfen kann, freier zu leben, auch freier und besser mit der kostbaren Ressource Zeit. Die „Beschaulichkeit" des Ordenslebens bezieht sich ja nicht auf das Nichtstun. Sie ist höchste Aktivität, die jedoch nur dann möglich ist, wenn vieles, wenn alles andere zurücktritt um Gottes willen und damit um der Freiheit des Menschen willen. Mein Haus, mein Auto, mein Boot, meine Familie, mein Ich – das alles darf gelassen werden, um der Sehnsucht nach Gott Raum und Zeit zu geben. Frei leben kann man üben, es muss nicht die klösterliche Freiheit sein, die genauso schwierig zu erreichen, genauso gefährdet ist wie jede wahre Freiheit. Manchmal ist es schon eine endlich aufgeräumte Schublade, die ahnen lässt, dass Freiwerden wunderbar sein kann.

ALLGEMEINE MENSCHENRECHTE UND KLÖSTERLICHE FREIHEIT

In der Präambel der *Allgemeinen Erklärung der Menschenrechte* vom 10. Dezember 1948 heißt es in Artikel 1: *„Alle Menschen sind frei und gleich an Würde und Rechten geboren. Sie sind mit Vernunft und Gewissen begabt und sollen einander im Geiste der Brüderlichkeit begegnen."* Das ist es: Alle Menschen sind frei geboren! Oder ist es das doch nicht? Sagt nicht die Realität etwas

anderes? Sind nicht Millionen von Menschen gefangen in Armut, Krankheit, Ungerechtigkeit? Wachsen nicht Tausende von Kindern als Arbeits- und Sexsklaven und -sklavinnen auf, ohne auch nur die geringste Chance zu haben, aus diesen Verhältnissen heraus je in ein selbstbestimmtes Leben hinein zu entkommen? Bleiben nicht ganze Völker gefesselt an Vorstellungen, nach denen es sehr unterschiedliche Menschen gibt, wertvolle und bedrohliche, solche, die kein oder nur ein eingeschränktes Lebensrecht haben dürften, und solche, denen schrankenlos alles zuzugestehen ist?
Mit Freiheit und Gleichheit für alle ist es heute in der Menschheitsfamilie trotzdem wesentlich besser bestellt als noch vor Jahrhunderten, als daran nicht im Traum zu denken war.

Was hat diese Freiheit, was haben die Freiheitsrechte der Menschen mit dem geistlichen Leben zu tun? Benedikt von Nursia (geboren um 480 in Nursia in Umbrien, gestorben am 21. März 547 in Monte Cassino) verfasste um 540 als Vater des abendländischen Mönchtums seine Regel und legte dort für die Aufnahme eines Bruders fest: „*Offen rede man mit ihm über alles Harte und Schwere auf dem Weg zu Gott. Wenn er verspricht, beharrlich bei seiner Beständigkeit zu bleiben, lese man ihm nach Ablauf von zwei Monaten diese Regel von Anfang bis Ende vor und sage ihm: Siehe das Gesetz, unter dem du dienen willst; wenn du es beobachten kannst, tritt ein, wenn du es aber nicht kannst, geh in Freiheit (liber discede) fort.*“ (RB 58,8–11). Schaut man genau hin, sieht man, dass es nicht heißt: Er wird *in die Freiheit* entlassen. Der Raum des Klosters als Raum einer strengen Bindung wird hier somit nicht als Raum der Unfreiheit verstanden, in dem die

Freiheit eines Menschen durch seine Bindung aufgehoben würde. Das Kloster stellt in dieser Hinsicht keinen Gegensatz zur Welt außerhalb seiner Mauern dar, so als ob nur sie von Freiheit gekennzeichnet sei. Gerade dann, wenn ein Mensch den Weg als Ordenschrist nicht als seinen geistlichen Weg gehen kann, wird er aus der Freiheit des Klosters in die Freiheit der Welt entlassen, kann er ungehindert aus einem Freiheitsraum in einen anderen wechseln.

KLÖSTERLICHE FREIHEIT ALS LERNWEG

Im Kloster gibt es keine Aufhebung der allgemeinen Menschenrechte, keine Verabschiedung von der Freiheit. Im Gegenteil: Freiheit ist so etwas wie die Auskleidung der klösterlichen Behausung, etwas wie der „Innenraum" dieser Lebensform, in dem der Mensch als Mönch, als Nonne, als Schwester in frei gewählter und gewollter Bindung lebt. Die Schwierigkeiten des Ordenslebens, *„alles Harte und Schwere auf dem Weg zu Gott"* und das nicht einfache *Gesetz des Dienens* hindern diese Freiheit nicht. Im Gegenteil: Sie sind notwendige Stationen, Prüfungsaufgaben, Teststrecken auf dem Weg zu einer vollkommenen Freiheit, die ein anderes Wort für die kreative und auf Wachstum angelegte Hingabe des ganzen Menschen ist, die er ständig üben darf und muss.

Die Vereinten Nationen wussten bei der Deklaration der Menschenrechte um die Unverzichtbarkeit eines solchen Übungsweges zur Freiheit: Sie forderten, dass *„jeder Einzelne und alle Organe der Gesellschaft sich bemühen, durch Unterricht und Erziehung die Achtung vor diesen Rechten und Freiheiten zu fördern und durch fortschreitende nationale und internationale Maßnah-*

men ihre allgemeine und tatsächliche Anerkennung und Einhaltung durch die Bevölkerung der Mitgliedstaaten selbst wie auch durch die Bevölkerung der ihrer Hoheitsgewalt unterstehenden Gebiete zu gewährleisten".

Freiheit fällt Einzelnen und Gemeinschaften nicht in den Schoß. Freiheit, frei werden von etwas und frei werden für etwas, braucht *Unterricht und Erziehung*. Im Kloster geht der Mönch, geht die Schwester durch die Jahre der klosterinternen Ausbildung, der Formation, einen langen Weg auf eine innere Freiheit hin, der lebenslang dauert und nur formal durch die Ablegung der Gelübde in Phasen unterteilt und abgeschlossen wird.

Dabei hat jede Phase der Ausbildung und der inneren Reifung ihren Platz, jeder Schritt dieser inneren Wandlung seine Zeit. Wer es versäumt, zur rechten Zeit loszulassen, kann nur mit Mühe und oft nur unter Schmerzen nachholen, was auf dem Weg in die Freiheit versäumt wurde.

Der Anfang vom Ende des Unfreiheitssystems der DDR war der berühmt gewordene, so allerdings nie von Michail Gorbatschow geäußerte Satz: „Wer zu spät kommt, den bestraft das Leben." Er wurde 1989 zum Schlüsselwort der deutschen Einheit und damit zum Türöffner in die Freiheit für Millionen Menschen. Dieser Satz, diese Einsicht gilt auch im Kloster. So wahr es ist, dass es nie zu spät ist, umzukehren und wieder neu anzufangen, so wahr ist auch, dass sich die Freiheit nicht vertagen lässt. Es ist freiheitsschädlich, ständig darauf zu schielen, wie schön es wäre, ohne Termindruck beten zu können. Wie gut es wäre, ohne die Auseinandersetzung mit einer Gemeinschaft das Eigentliche des Klosterlebens verwirklichen zu können. Wie heilsam es wäre, endlich einmal ohne die Einschränkungen durch die Vorgesetzten, weil ohne Furcht vor ihrem Nein, die guten Ideen, die einem schon seit Jahren durch den Kopf gehen, verwirklichen zu können. So geht Freiheit im Kloster nicht. Klösterliche Freiheit ist Freiheit in Bindung, Freiheit, die sich an der Freiheit der anderen stößt, sich an ihr aber auch festhalten kann.

FREIHEIT, DIE DAS LEBEN WECKT

Im achten Kapitel seiner Regel spricht der heilige Augustinus (geboren am 13. November 354, gestorben am 28. August 430), der wichtigste Kirchenvater der lateinischen Tradition, von dieser klösterlichen Freiheit. Er formuliert sie mit Blick auf das Verlangen nach – geistiger – Schönheit im Kontext guter – sinnlicher – Erfahrungen und in Anbindung an die Vorgaben der heiligen Schrift: *„Der Herr gebe, dass ihr, ergriffen vom Verlangen nach geistlicher Schönheit, dies alles mit Liebe befolgt. Lebt so, dass ihr durch euer Leben den lebensweckenden Wohlgeruch Christi verbreitet. Lebt nicht als Sklaven, niedergebeugt unter dem Gesetz, sondern als freie Menschen unter der Gnade."* Das Ziel des geistlichen Lebens ist also die Freiheit oder, wie Meister Eckhart (geboren um 1260, gestorben 1328), der große Lese- und Lebemeister aus dem Orden des heiligen Dominikus, sagt: Das Ziel aller Ausrichtung auf Gott ist die Gelassenheit. Gelassenheit meint bei Eckhart nicht „Coolness", kein unberührtes und ungerührtes Über-den-Dingen-Stehen. Gelassenheit meint das Lassen seiner selbst, das Lassen der sogenannten „Welt", die er als Raum und Zeit der Gottferne und Gottwiderständigkeit empfindet, um Gottes willen. Hier ist die Freiheit zu Hause. Hier ist ihr Stammplatz und hier ist ihre Vollendung.

Solche Gelassenheit in Gott ist das Ziel aller, auch der klösterlichen Freiheit, ihr Beginn ist es bei Weitem nicht. Am Anfang dieses Suchweges steht ein Verlangen, rührt sich eine Sehnsucht, die durch nichts zu stillen ist. Oft ist es nur ein vages Sehnen, mehr Gefühl als konkrete Frage, denn die Sehnsucht nach Gott ist etwas, das sich einen Mantel umwerfen kann, das sich hinter einer Maske verbergen kann, um nicht voreilig und zu hastig entdeckt zu werden. Gottessehnsucht ist stark und verletzlich zugleich, leicht zu verfehlen und doch durch nichts umzuwerfen. Der Ruf nach Gerechtigkeit kann eine der Maskierungen der Gottessehnsucht sein, der Einsatz für den Frieden, das Engagement für Menschen, denen es nicht gut geht, die einsame oder die gemeinsame Suche nach Orientierung, Verlässlichkeit und Treue. Netzwerke, in denen Menschen sich finden, um einander zu helfen, internationale Allianzen, in denen Ideen für eine lebenswerte Zukunft entstehen, Gemeinschaften, die anders mit den Schätzen der Erde und denen der menschlichen Begabungen umgehen wollen – anspruchsvolle und schlichte, hochkomplexe und spontan handelnde, finanzstarke und bettelarme, sie alle sind Suchwege nach einem Leben aus dem Geist der Menschen- und Schöpfungsfreundlichkeit. Damit sind sie aber immer auch spirituelle Suchwege nach Gott, ob sie sich so verstehen und es wissen oder nicht. Denn der Geist Gottes ist einer und weht, wo er will, nie einzusperren, weil er der Geist aller Freiheit ist.

FREIHEIT IM KLOSTER IST NICHT FREIHEIT VON ETWAS, SONDERN FREIHEIT FÜR ETWAS

Der Anfang eines echten Freiheitsweges im Kloster muss nicht identisch sein mit dem Eintritt, also mit jenem Schritt, mit dem das Klosterleben beginnt. Dieser erste Schritt in die Klostergemeinschaft hinein zeigte sich früher oft als Freiheit von etwas: Klöster boten Sicherheit, finanzielle, religiöse, soziale. Klöster boten Bildungs- und Berufschancen, die es für viele Frauen und Männer in ihren Herkunftsmilieus nicht gab. Klöster waren Zufluchtsräume für Menschen, die fürchteten, mit dem Leben außerhalb der Klostermauern schlecht zurechtzukommen und damit vielleicht auch nicht zurechtgekommen wären. Es war gut, dass Klöster solche Räume sein und bieten konnten. Beide – die Klostergemeinschaften und die Einzelnen – profitierten davon. Doch diese Zeiten sind vorbei. Gesellschaftliche Freiheit ist heute gleichbedeutend mit Bildung und Ausbildung, mit sozialer Sicherheit und mit der Möglichkeit, die eigene Biografie zu entwerfen, ohne dabei traditionellen Rollenmustern und -erwartungen nachkommen zu müssen.

Im Kloster buchstabiert sich Freiheit heute anders. Natürlich gilt auch hier immer noch, dass der Freiheit von etwas oft die Freiheit für etwas vorausgeht. Aber: In der Ersteren darf ich nicht steckenbleiben, sonst erreiche ich die Zweite nicht. Freiheit muss sich entwerfen auf ein Ziel hin. Freiheit muss in diesem Sinn wachsen, jetzt oder nie, als Freiheit in zielbewusster und zielorientierter Bindung. Es gibt den Zeitpunkt, zu dem es heißt: Die Balance von Bindung und Freiheit erprobe jetzt oder nie! Weg von der Freiheit von etwas hin zur Freiheit für etwas.

Hier setzen die ordenseigenen Bindungsinhalte und Bindungsweisen an. Die Suche nach innerlichem, geistlichem Reichtum setzt das Loslassen der Bindung an Besitz voraus. Die Sehnsucht nach Gemeinschaft setzt das Loslassen der Bindung an einen einzelnen Menschen voraus. Die Entfaltung der tiefsten Möglichkeiten eines Menschen setzt das Loslassen der Bindung an die unbeschränkte Umsetzung der eigenen Vorstellungen vom Leben voraus. Armut, Keuschheit und Gehorsam sind die Schlagworte, die für viele umreißen, was klösterliche Bindung als Freiheitsquelle ist.

BINDUNG IN FREIHEIT ALS LEBENSKUNST

Ab einem bestimmten Zeitpunkt stehen einem Menschen, der als Ordenschrist leben will, die Dinge nicht mehr frei. Irgendwann bin ich gebunden, binde ich mich. In der Profess als dem Akt der Bindung zwischen dem/der Einzelnen und der Gemeinschaft wird ausgesprochen und besiegelt, um was es von jetzt an für mein weiteres Leben verbindlich gehen soll. Dabei sind die Professformeln unterschiedlich, aber kreisen immer um einen zentralen, unveräußerlichen Kern:

Der Mönch, die Nonne, die Schwester sagt Ja zur Fundierung seines/ihres Lebens in Gott als der Quelle des Lebens. Die einzige Wirklichkeit, die nun zählt und in der alle Wirklichkeit voll und ganz da sein darf, ist geprägt von der Ordnung und der Klarheit dieser lebenslangen Bindung. Das Leben im Jetzt, die Ausrichtung auf die Ewigkeit, alle menschlichen Sehnsüchte und Hoffnungen, jede Begabung, jedes Misslingen, die großen und die alltäglichen Dinge sind hier zu Hause. Man ist nicht dann Ordenschrist, wenn man als solcher erkannt wird, und ein

– endlich wieder – „normaler Mensch" hinter der Zellentüre, wenn man endlich allein und unbeobachtet ist.

Ist ein solcher Lebensentwurf auch außerhalb des Klosters zu leben, auch außerhalb dieser strengen und ganzheitlichen Bindung? Die Antwort ist eindeutig Ja und eindeutig Nein. Nein: Klosterleben ist Klosterleben und als solches originär und nicht austauschbar mit anderen Lebensentwürfen, denn es beruht auf der unzweideutigen Entscheidung: So und nicht anders will ich aus freier Entscheidung heraus leben. Ja: Die Option, in seinem Leben aus einer lebenslangen Bindung heraus zu leben, ist jedem Menschen möglich. Die Sehnsucht, alles zu lassen, was das Leben stört oder nicht fördert, ist jedem/r zugänglich. Die Suche nach dem Loslassenkönnen gewinnt Gestalt auch im Entrümpeln und jedes Mal dann, wenn ein Mensch alte Gewohnheiten, die nicht guttun, ablegt. Gelassenheit im Sinn Meister Eckharts ist kein klösterliches Privileg, sondern Zielformulierung aller religiösen Suche.
Die Allgemeine Erklärung der Menschenrechte wusste auf säkulare Weise von dieser grundsätzlichen Freiheit, die im Kloster eine spezielle, auf und aus Gott bezogene Prägung erhält. Freiheit gilt für jeden und jede *„ohne irgendeinen Unterschied, etwa nach Rasse, Hautfarbe, Geschlecht, Sprache, Religion, politischer oder sonstiger Anschauung, nationaler oder sozialer Herkunft, Vermögen, Geburt oder sonstigem Stand"*. Klösterliche Freiheit ist nicht nur Nachbarin, sondern auch Freundin dieser Freiheit. Denn sie ist gottgebundene Freiheit nicht von der, sondern für die Freiheit aller Menschen.

Finden Sie den Schlüssel!

Die Weisheit der Klöster ist nicht nur mündlich, nicht nur durch das alltägliche Tun, sondern auch schriftlich überliefert. Vieles ging verloren, vieles ist erhalten. Und nicht nur erhalten, sondern im Strom des ständigen Übens, Erlebens und Nachdenkens heute noch im Werden.
Die folgenden Texte laden ein, sich von dem ununterbrochenen Gespräch jener Frauen und Männer inspirieren zu lassen, die das Kloster als Lebensform wählten und die darin mit allen Sinnen lebten – in Höhen und Tiefen, mit Irrtümern und Entdeckungen, in Weisheit und mit allen Fragen, die Menschen haben können.
Mancher Text wirkt auf den ersten Blick vielleicht befremdlich, die Sprache antiquiert. Trotzdem: Schauen Sie, wenn nötig, zwei- oder dreimal hin. Kauen Sie die sperrigen Stücke, bis sie Ihnen etwas zu sagen haben. Lassen Sie nicht los: Hinter einem zunächst verschlossenen Tor können wahre Schätze versteckt sein!
Die Texte sind ausgewählt für neugierige, lebenshungrige, fromme, für ausdauernde, aber auch für jene Leserinnen und Leser, die nur kurz einmal vorbeischauen möchten – sie sind ein Angebot, aus dem Sie wählen können, was gerade für Sie passt. Wichtig ist, dass Sie etwas finden, was Ihnen hilft, frei und gut zu leben.

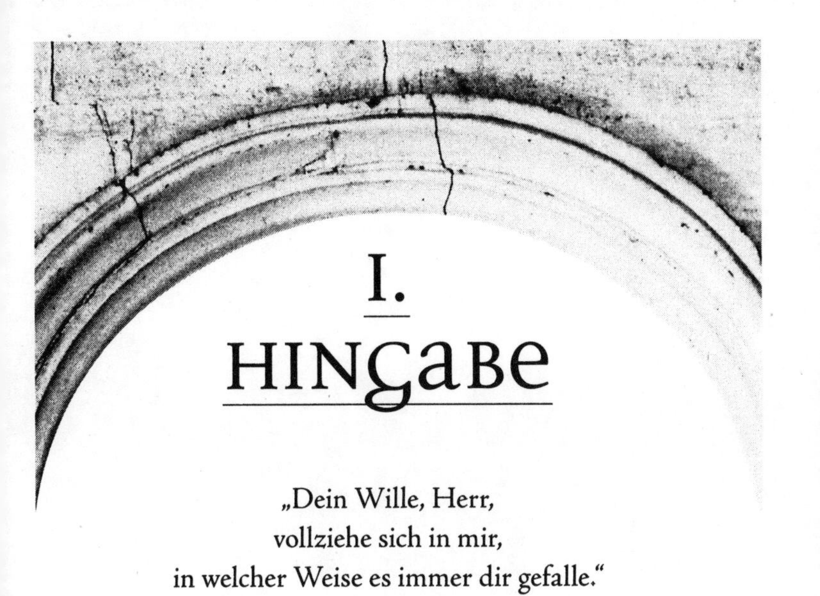

I.

HINGABE

„Dein Wille, Herr,
vollziehe sich in mir,
in welcher Weise es immer dir gefalle."
(Teresa von Avila)

Hingeben heißt Reichtum erben

∼ Ignatius von Loyola
Reich genug

Nimm hin, o Herr, meine ganze Freiheit.
Nimm hin mein Gedächtnis, meinen Verstand,
meinen ganzen Willen.
Was ich habe und besitze, hast du mir gegeben.
Ich stelle es dir wieder ganz und gar zurück
und übergebe alles dir, dass du es lenkest
nach deinem Willen.
Nur deine Liebe schenke mir mit deiner Gnade,
und ich bin reich genug und suche nichts weiter.

∼ Thomas Merton
Geben, was wir empfangen

Die arme Seele – wenn sie auch will, sie kann oft nicht ausführen, wonach es ihr verlangt. Sie hängt von dem ab, was ihr gegeben wird. So fühlt sie sich immer tiefer verschuldet. Und oft wird es ihr zur Qual, so vielen Hemmungen unterworfen zu sein, wie es das Verharren im Körper mit sich bringt. Sie möchte ihre Schuld in etwa abtragen. Und sie ist töricht genug, sich damit abzuquälen. ¶ *Denn bei aller Anspannung, was können wir abzahlen, die wir nur geben können, was wir empfangen?* ¶ Wir müssen uns selbst erkennen und das, was in unserer Macht steht, die Aufopferung unseres Willens, vollkommen durchführen.

~ Johannes vom Kreuz
Gott überlassen

In dem Grade, als Gott die Seele in sich umgestaltet, macht Er sie ganz zu Seinem Eigentum und entfernt aus ihr alles, woran ihr Herz außer Gott hing. Daher kommt es, dass sie nicht bloß dem Willen nach, sondern auch in der Tat ohne jeden Vorbehalt sich Gott allein hingegeben, wie auch Gott sich ganz ihr überlassen hat.

~ Teresa von Avila
Gottes Freiheit

Wie wunderbar! Er, der tausend Welten und einen noch viel größeren Raum mit seiner Größe erfüllen kann, schließt sich in eine so kleine Wohnung ein! Weil er der Herr ist, behält er in Wahrheit seine Freiheit; weil er uns aber liebt, fügt er sich unseren Verhältnissen. Um die Seele nicht zu verwirren, wenn sie sich zur Beherbergung eines so großen Herrn so klein sieht, gibt er ihr anfangs seine Größe nicht zu erkennen, bis er sie allmählich so erweitert, wie es zur Aufnahme dessen, was er in sie legen will, notwendig ist. Deshalb sagte ich, er behalte seine

Freiheit, weil er nämlich die Macht hat, diesen Palast zu vergrößern.

~

Für uns besteht die Hauptsache nur darin, dass wir uns ihm mit aller Entschiedenheit als Eigentum hingeben und hinwegräumen, was ihn hindern könnte, in uns hinzulegen und von uns herauszunehmen, was er will. Unser Herr hat seine Gründe, so zu handeln, und darum sollen wir ihm unsere Einwilligung dazu nicht verweigern. ¶ *Weil er unserem Willen keine Gewalt antut, nimmt er zwar das an, was wir ihm geben; aber er schenkt sich uns nicht ganz, bis auch wir uns ganz ihm hingeben.* ¶ Das ist gewiss; und weil an dieser Wahrheit so viel gelegen ist, deshalb mache ich euch so oft darauf aufmerksam. Geben wir uns dem Herrn nicht ganz hin, so wirkt er nicht so in der Seele, wie wenn er sie unbehindert als sein volles Eigentum besitzt. Ich weiß auch nicht, wie er anders handeln könnte, da er ein Freund aller Ordnung ist. Füllen wir dagegen den Palast mit allerlei Gesindel und Tändelware an, wir soll dann der Herr mit seinem Hofstaate noch Platz darin finden? Er tut viel, wenn er sich bei einem so großen Hindernis nur eine kleine Weile aufhält. ¶ *Alles vergeht; Gott bleibt derselbe; Geduld erreicht alles.* ¶

~ Meister Eckhart
Gerechter Handel

„Sie sind reicht geworden an allen Tugenden" (Korinther 1,5), also steht geschrieben. Das aber kann nimmer geschehen, man werde denn zuvor arm an allen Dingen. Wer alle Dinge empfangen will, der muss auch alle Dinge hergeben. Das ist ein gerechter Handel und ein gleichwertiger Austausch, wie ich lange vorauf einmal sagte. Darum, weil Gott sich selbst und alle Dinge uns zu freiem Eigen geben will, darum will er uns alles Eigentum ganz und gar benehmen. Ja, fürwahr, Gott will durchaus nicht, dass wir auch nur so viel Eigenes besitzen, wie mir in meinen Augen liegen könnte.

¶ *Jede Sache hängt dir nur soweit an, wie du ihr Neigung und Liebe entgegenbringst. Ist deine Liebe rein, aufrichtig und wohlgeordnet, so wird kein irdisch Ding dich fesseln.* *Thomas von Kempen* ¶

~ Teresa von Avila
Nada te turbe

Nichts soll dich ängstigen; nichts dich erschrecken!
Alles vergeht; Gott bleibt derselbe; Geduld erreicht alles.
Wer Gott besitzt, dem kann nichts fehlen; Gott nur genügt.

~ Thomas von Kempen
Freiheit im Lassen

Mein Sohn, du musst alles hingeben, um alles zu erlangen, und in nichts darfst du dir selbst gehören.
Sei überzeugt, dass die Eigenliebe dir mehr schadet als irgendetwas in der Welt.
Jede Sache hängt dir nur soweit an, wie du ihr Neigung und Liebe entgegenbringst.
Ist deine Liebe rein, aufrichtig und wohlgeordnet, so wird kein irdisch Ding dich fesseln.
Begehre nicht, was du nicht besitzen darfst. Wünsche nicht zu besitzen, was dich behindert und der inneren Freiheit berauben kann. Es ist sonderbar, dass du dich nicht von ganzem Herzen mir anvertraust mit allem, was du begehren oder besitzen kannst.
Warum verzehrst du dich in nutzloser Qual und plagst dich mit unnötigen Sorgen?
Lebe so, wie es mir gefällt, und du wirst keinen Schaden leiden.

~

Suchst du aber bald dies, bald jenes und willst du bald hier, bald dort sein, um in erster Linie deinen Vorteil und deinen Willen zu haben, wirst du nie zur Ruhe kommen, nie ohne Sorge sein, weil allen Dingen irgendein Mangel anhaftet und überall jemand auftaucht, der dir etwas in den Weg legt.
Nicht alles ist von Nutzen, was du nach außen hin erwirbst und vermehrst, wohl aber, was du verschmähst und mit der Wurzel aus deinem Herzen reißt.

Dies gilt nicht nur von Geld und Reichtum, sondern auch von der Sucht nach Ehre und eitlem Lob. Denn all dies vergeht mit der Herrlichkeit der Welt.
Die Abgeschiedenheit eines Ortes schützt dich nur wenig, wenn die heilige Flamme des Geistes fehlt.
Jener Friede, den man draußen sucht, wird nicht lange bestehen, wenn er nicht in deinem Herzen fest gegründet ist. Das heißt, wenn du nicht in mir stehst, so kannst du dich wohl verändern, aber nicht besser werden.
Denn sobald sich dir eine günstige Gelegenheit bietet, wirst du wiederfinden, wovor du geflohen bist, und noch mehr.

~ Meister Eckhart
Gelassen werden

Gäb's einen Menschen, dem diese ganze Welt gehörte, und er ließe sie um Gottes willen so bloß, wie er sie empfing, dem würde unser Herr diese ganze Welt zurückgeben und das ewige Leben dazu. Und gäb's einen anderen Menschen, der nichts als einen guten Willen besäße, und der dächte: Herr, wäre diese Welt mein, und hätte ich dann noch eine Welt und noch eine – das wären ihrer drei –, und er begehrte: Herr, ich will diese lassen und mich selbst ebenso bloß, wie ich's von dir empfangen habe – dem Menschen gäbe Gott ebenso viel wie (dann), wenn er es alles mit seiner Hand weggegeben hätte. Ein anderer Mensch (aber), der gar nichts Körperliches oder Geistiges hätte zum Lassen oder Hergeben, der würde am allermeisten lassen. ¶ *Wer sich gänzlich (nur) einen Augenblick ließe, dem würde alles gegeben.* ¶ Wäre dagegen ein Mensch zwanzig Jahre lang gelassen und nähme sich selbst auch nur einen Augenblick zurück, so ward er noch nie gelassen. Der Mensch, der gelassen hat und gelassen ist und der niemals mehr nur einen Augenblick auf das sieht, was er gelassen hat, und beständig bleibt, unbewegt in sich selbst und unwandelbar – der Mensch allein ist gelassen.

Thomas von Kempen
Von der vollkommenen Freiheit

Mein Sohn, du kannst keine vollkommene Freiheit besitzen, wenn du dich nicht gänzlich selbst verleugnest.
In Fesseln sind alle geschmiedet, die selbstsüchtig in sich verliebt sind, die Habsüchtigen, Neugierigen, Unsteten, die immer nach dem suchen, was ihren Sinnen schmeichelt, nicht nach dem, was dem Reiche Christi dient, die oft etwas ersinnen und sich zusammenreimen, was keinen Bestand hat. ¶ *Alles wird untergehen, was nicht aus Gott geboren ist.* ¶ Behalte dieses kurze, aber alles einschließende Wort: Verlass alles, dann findest du alles. Entsage der Begierde, dann findest du Frieden.
Dieses Wort beherzige gut, wenn du danach handelst, dann begreifst du alles.

〜 Charles de Foucauld
In deine Hände lege ich meine Seele

Mein VATER,
ich überlasse mich dir,
mach mit mir, was dir gefällt.

Was du auch mit mir tun magst, ich danke dir.
Zu allem bin ich bereit, alles nehme ich an.
Wenn nur dein Wille sich an mir erfüllt
und an allen deinen Geschöpfen,
so ersehne ich weiter nichts, mein Gott.
In deine Hände lege ich meine Seele;
Ich gebe sie dir, mein Gott,
mit der ganzen Liebe meines Herzens,

weil ich dich liebe,
und weil diese Liebe mich treibt,
mich dir hinzugeben,
mich in deine Hände zu legen,
ohne Maß,
mit einem grenzenlosen Vertrauen;
denn du bist mein VATER.

Das Ich lassen – Gott schauen

Johannes vom Kreuz
Mystische Betrachtung II

Ohne zu leben, leb' ich in mir,
und so hoff' ich auf mein Erbe,
dass ich sterbe, weil ich nicht sterbe.

Schon leb' ich in mir nicht mehr,
und ohne Gott kann ich nicht leben.
Ohne Ihn und mich zu leben,
nennt dies Leben irgendwer?
Tausend Tode sind's vielmehr.
Dass ich Leben selbst erwerbe,
hoff' ich, sterbend, weil ich nicht sterbe.

Dieses Leben, das ich lebe,
ist des Lebens selbst entbehrend,
ja, Tod ist's, so lange während,
bis ich auf zum Leben schwebe.
Gott erhöre mich und gebe,
dass ich nicht dies Leben umwebe,
denn ich sterbe, weil ich nicht sterbe.

Welches Leben, fern von dir,
kann ich führen durch die Jahre,
ohne dass ich Tod erfahre,
den ich niemals schaute hier?
Mitleid fühl' ich selbst in mir,
wie ich harre auf mein Erbe
und dran sterbe, dass ich nicht sterbe.

Fisch, der aus dem Wasser kommt,
hat nicht mehr der Rettung not,
weil ihm, selbst in solchem Tod,
doch der Tod wohl nahekommt
diesem Leben, dran ich verderbe,
weil ich, je mehr ich lebe, mehr sterbe?

Wenn ich denk, mich zu befrei'n
Dich zu seh'n im Sakramente,
fühl' ich nur das Ungegönnte:
des Genusses mich zu freu'n.
Alles trägt nur Leiden ein,
dass ich Dich mir nicht erwerbe
und drum sterbe, weil ich nicht sterbe.

Und wenn ich mich freue, Herr,
mit der Hoffnung, Dich zu sehen:
dass Du kannst verloren gehen,
schmerzt die Seele doppelt schwer.

Lebend in der Furcht, begehr
ich mein einziges Hoffnungs-Erbe,
und ich sterbe, weil ich nicht sterbe.

Mich aus solchem Tod entringe,
Gott, und mir das Leben spende:
Binde mir nicht beide Hände
mit der allzu starken Schlinge.
Sieh, wie ich, eh' mir's gelinge,
Dich zu schauen ganz verderbe
und, ach! sterbe, weil ich nicht sterbe!

Meinen Tod werd ich beklagen
und beweinen auch mein Leben.
Das ist in die Haft gegeben
meinen Sündern, die mich plagen.
O, mein Gott, wann wird es tagen?
Und wann tret ich an mein Erbe? –
Schon leb ich, weil ich nicht sterbe."

~ Theresia von Jesus
Der himmlische Gärtner

Hier, glaube ich, ist der Rat am Platze, der Euer Gnaden gegeben wurde, dass man sich nämlich ganz den Armen Gottes überlassen solle. Will Gott die Seele in den Himmel erheben, so sei es; will er sie in die Hölle hinabführen, so empfindet sie darüber keinen Schmerz, wenn sie nur mit ihrem höchsten Gute dahin geht; will er ihrem Leben ganz und gar ein Ende machen, so ist sie auch dazu bereit. Der Herr mag über die Seele verfügen wie über sein Eigentum, sie gehört nicht mehr sich selbst an, sondern ist ganz dem Herrn ergeben; möge sie darum ganz unbekümmert sein! Wenn Gott der Seele ein so erhabenes Gebet verleiht, so kann sie dies alles und noch weit mehr; denn das sind die Wirkungen dieses Gebetes. Die Seele gewahrt dabei, dass sie es ohne Ermüdung des Verstandes übt. Diese, scheint mir, steht nur wie verwundert da und sieht zu, wie der Herr das Geschäft der Gärtners so gut besorgt und nicht will, dass er im Geringsten eine Mühe auf sich nehme, sondern sich nur an dem ersten Blumendufte ergötze. Eine einzige dieser Heimsuchungen, so kurz ihre Dauer auch sein mag, reicht für einen solchen Gärtner hin, um der Seele überfließend Wasser zu verschaffen, da er ja schließlich selbst dessen Schöpfer ist. Was die arme Seele mit ihrer Arbeit, vielleicht mit zwanzigjähriger Ermüdung ihres Verstandes nicht erreichen konnte, das wirkt dieser himmlische Gärtner in einem Augenblick.

Meister Eckhart
Fülle der Zeit

Wann ist „Fülle der Zeit"? – Wenn es keine Zeit mehr gibt. Wenn man in der Zeit sein Herz in die Ewigkeit gesetzt hat und alle zeitlichen Dinge in einem tot sind, so ist die „Fülle der Zeit". (...) Wenn wir über die Zeit und zeitliche Dinge hinausgeschritten sind, so sind wir frei und allezeit froh, und dann ist „Fülle der Zeit"; dann wird der Sohn Gottes in dir geboren.

Befreiung im Gehorsam

〜 Thomas von Kempen
In deiner Hand

Gib mir, was du willst, wie viel du willst und wann du willst. Verfahre mit mir, wie du es für richtig hältst, wie es dir gefällt und zu deiner größeren Ehre gereicht. Stelle mich hin, wohin du willst, und schalte mit mir in allem nach deinem Belieben. In deiner Hand bin ich, drehe und wende mich in jeder Richtung

〜 Benedikt von Nursia
Worte der Weisung

Zuerst: Gott, den Herrn, lieben aus ganzem Herzen, aus ganzer Seele, mit aller Kraft. Dann: den Nächsten wie sich selbst. Dann: nicht töten. Nicht ehebrechen. Nicht stehlen. Nicht begehren. Kein falsches Zeugnis geben. Alle Menschen ehren. Und was man nicht selbst erleiden möchte, auch keinem anderen tun. Sich selbst verleugnen, um Christus nachzufolgen. Den Leib in Zucht halten. Sich nicht der sinnlichen Lust ergeben. Das Fasten lieben.
Die Armen erquicken. Den Nackten bekleiden. Den Kranken besuchen. Den Toten begraben. In der Bedrängnis zur Hilfe kommen. Die Trauernden trösten.

Sich dem Treiben der Welt fremd machen. Der Liebe zu Christus nichts vorziehen. Im Zorn nichts ausführen. Dem Groll nicht einen Augenblick einräumen. Keine Arglist im Herzen tragen. Nicht heuchlerisch Frieden bieten. Von der Liebe nicht lassen.

~ Teresa von Avila
Freie Hingabe

Ob ihr wollt oder nicht, sein Wille geschieht im Himmel wie auf Erden; glaubt mir das, und macht aus der Not eine Tugend. O Herr, welch großer Liebeserweis ist das für mich, dass du einem so elenden Willen wie dem meinen den Vollzug des deinen überlassen willst … Jetzt gebe ich dir frei den meinen, wenn auch nicht frei von eigenem Vorteil, habe ich doch zu oft den Gewinn erfahren, den die freie Hingabe des eigenen Willens an den deinen mit sich bringt.

~ Thomas Merton
Ergebung und Gehorsam

Wie wenig du im innerlichen Gebet auch von Gott erfahren haben magst: Vergleiche deine Handlungen mit diesem Wenigen, richte sie aus nach diesem Maßstab. Strebe danach, dass all dein Tun in der gleichen Leere und Stille und Losgelöstheit Frucht tragen möge, die du in der Beschauung erfahren hast. Letztlich liegt das ganze Geheimnis in der vollkommenen Ergebung in den Willen Gottes in allem, worüber du nicht Herr bist, und im vollkommenen Gehorsam bei allem, was deinem Willen untersteht, sodass du in allen Dingen, sowohl in deinem inneren Leben wie in deinem äußern Wirken für Gott, nur eines begehrst: die Erfüllung seines Willens.

¶ *Sich dem Treiben der Welt fremd machen. Der Liebe zu Christus nichts vorziehen. Im Zorn nichts ausführen. Dem Groll nicht einen Augenblick einräumen. Keine Arglist im Herzen tragen. Nicht heuchlerisch Frieden bieten. Von der Liebe nicht lassen.* Benedikt von Nursia ¶

~ Teresa von Avila
Zur Quelle lebendigen Wassers finden

Alles, was ich euch in dieser Niederschrift rate, zielt darauf, dass wir uns ganz dem Schöpfer hingeben und unseren Willen in den seinen versenken und uns von den Geschöpfen loslösen ... Das ist die Vorbereitung dafür, dass wir uns nach kurzer Zeit am Ende des Weges finden und dass wir von jener Quelle lebendigen Wassers trinken können. Denn ohne die vollkommene Hingabe und Auslieferung an den Herrn, damit er nach seinem Willen mit uns verfahre, gewährt er uns niemals diesen Trunk. Dies ist die vollkommene Kontemplation, von der ich euch schreiben sollte. (...) Und in diesem tun wir nichts von unserer Seite, wir arbeiten nicht und handeln nicht, auch braucht es weiter nichts. Denn alles andere stört und behindert das Versprechen: ‚Fiat voluntas tua.' ¶ *Dein Wille, Herr, vollziehe sich in mir, in welcher Weise es immer dir gefalle.* ❡ Verlangst du von mir schwere Leistungen – gib mir die Kraft, und sie mögen kommen. Sind es Verfolgungen und Krankheiten, Ehrverletzungen und Not, hier bin ich, mein Vater, ich werde nicht das Gesicht abwenden; es wäre Unrecht, den Rücken zu kehren.

~ Thomas Merton
Nicht aus eigener Kraft

Die ungeheuren Schwierigkeiten, die sich denen entgegenstellen, die innere Freiheit und Reinheit der Liebe suchen, lehren sie bald, dass sie nicht durch eigene Kraft vorwärtsschreiten können, und der Geist Gottes flößt ihnen den Wunsch nach den einfachsten Hilfsmitteln zur Überwindung ihrer Selbstsucht und Urteilsblindheit ein. Dies aber heißt, sich dem Urteil und der Führung eines anderen gehorsam beugen.

SICH GOTTES FÜHRUNG ÜBERLASSEN

~ Johannes vom Kreuz
Neue Wege

Der Wanderer zu neuen Gebieten, zu unbekannten und unerforschten, er dringt vor auf neuen Wegen, unbekannten und unerforschten, nicht geführt durch das, was er zuvor wusste, sondern in Zweifeln und auf die Aussagen anderer hin; und sicherlich, er könnte nicht zu neuen Ländern gelangen und noch mehr als zuvor erfahren, wenn er nicht durch neue, nie erforschte Wege zöge, das Bekannte hinter sich lassend. Und wer tiefer in ein Gewerbe oder in eine Kunst eindringt, der tastet immer durch Dunkel, frühere Erfahrungen zurücklassend ... Und so geht die Seele, wenn sie am meisten gefördert wird, im Dunkel voran, im Ungewissen. Denn Gott ist hier Meister und Führer der Seele dieser Blinden.

~ Thomas Merton
Sehnsucht nach Führung

Eine Seele, die durch die Beschauung in Gottes Nähe gezogen wird, lernt alsbald den Wert des Gehorsams einsehen, denn all die Nöte und Ängste, die sie tagtäglich durch die schwere Last ihrer Selbstsucht und Schwerfälligkeit, ihrer Unzulänglichkeit und Selbstüberhebung zu erdulden hat, werden die Sehnsucht in ihr wachrufen, von einem andern geführt und beraten und auf den rechten Weg gewiesen zu werden.

~ Johannes vom Kreuz
Für ich weiß nicht was

Für alle Schönheit nie
verlieren werd ich mich,
doch für, ich weiß nicht, was, das ich
durch Schickung mir verlieh.

Geschmack des Guten, das sterblich,
und mund' er noch viel mehr,
wird dem Hunger verderblich,
schafft dem Gaumen Beschwer.
Für all die Süße nie
verlieren würd ich mich.
Doch für, ich weiß nicht, was, das sich
durch Schickung mir verlieh.

Das Herz, das zu schenken begierige,
nie wird es das sich bereiten,
Was leicht fällt, zu durchschreiten,
sondern allein das Schwierige.
Nichts schafft ihm Pein und Müh,
sein Glaube festigt sich,

wenn es, ich weiß nicht, was fühlt, das sich
durch Schickung ihm verlieh.

Wer von Liebe leidet,
vom Wesen Gottes berührt
nichts mehr davon spürt,
was den Geschmack verleidet.
Wie ein Fieberkranker nie
Speise lässt heran an sich,
wünscht er, ich weiß nicht, was, für sich,
das Schickung ihm verlieh.

Wundert euch darüber nicht,
dass so der Geschmack vergehe,
denn von ihm kommt alles Wehe,
alles, was dem Heil gebricht.
Jede Kreatur allhie
seh', dass sie entfremde sich,
speisend, ich weiß nicht, was, das sich
durch Schickung mir verlieh.

Ist der Wille selber dann
von der Schönheit Gottes berührt,
bleibt er so von ihr geführt,
dass er sie nicht lassen kann.
Doch, da Schönheit sich ihm lieh,
die nur Glaube schaut in sich,
nehm' er, ich weiß nicht, was, zu sich,
das durch Schickung ihm gedieh.

So voll Liebe sag mir dann,
ob dich Harm noch quälen muss,
da dir keinerlei Genuss
von Geschöpfen schaden kann.
Form und Bild, wo schwanden sie?
Weder Stab noch Fuß stützt dich,
was durch Schickung sich verlieh.

Denk nicht, dass dem inneren Leben,
das von soviel größerem Wert,
Freude wird davon beschert,
was die Erde weiß zu geben.
Aber mehr als Schönheit, sieh,
ist das ewige Sein in sich,
wenn du, ich weiß nicht was, in dich
nimmst, das Schickung dir verlieh.

Mehr erfüllt sich die Begehr,
wen es antreibt zu Genüssen:
der wird mehr gewinnen müssen,
als er schon gewann vorher.
So vor höh'rer Hierarchie
immer tiefe neig ich mich,
Alles opfernd dem, was sich
durch Schickung mir verlieh.

Das, was dem Gefühl behagt,
können wir hier noch verstehen,
was wir hören oder sehen,

ob es noch so hoch aufragt.
Für Anmut und Schönheit nie
hier verlieren werd ich mich.
Doch für, ich weiß nicht, was, das sich
durch Gnade mir verlieh.

¶ *Wenn wir über die Zeit und zeitliche Dinge hinausgeschritten sind, so sind wir frei und allezeit froh, und dann ist Fülle der Zeit; dann wird der Sohn Gottes in dir geboren.* *Meister Eckhart* ¶

Thomas von Kempen
Lerne warten

Mein Sohn! Überlass mir stets deine Sorgen. Ich werde deine Sache, wenn es an der Zeit ist, zu deinem Besten ordnen. Lerne warten, bis ich eingreife; den Segen wirst du schon spüren.
Herr, gerne werfe ich alle meine Sorgen auf dich, weil meine eigenen Überlegungen nur wenig nützen können. Wenn ich mich nur nicht so viel mit der Zukunft beschäftigen, sondern mich, ohne zu zögern, ganz deinem Willen überlassen würde!

Oft strebt der Mensch ungestüm nach dem, was er begehrt; wenn er es aber erlangt hat, denkt er bald anders darüber. Seine Neigungen sind eben nicht beständig, sondern treiben von einem Gegenstand zum anderen. Er ist also keine Kleinigkeit, auch im Geringsten sich selbst zu verleugnen. Der wahre Fortschritt des Menschen besteht in der Selbstverleugnung. Wer sich selbst verleugnet, ist ganz frei und sicher.

II.
EINKEHR

„Wie alle Dinge rasten an ihrer Stätte,
wie der Stein auf der Erde und das Feuer in der Luft,
so rastet die Seele in Gott."
(Johannes Tauler)

DIE WELT LASSEN

∼ Heinrich Seuse
Wie man innerlich leben soll

Der Diener: Herr, der Übungen gibt es viele, der Lebensweisen manche, eine so, die andere so; der Weisen sind viele und mancherlei. Herr, die Schriften sind endlos, die Lehren ohne Zahl. Ewige Weisheit, lehre mich mit kurzen Worten aus dem Abgrund aller dieser Dinge, woran ich mich allermeisten halten soll auf dem Wege des wahren Lebens.
Antwort der Ewigen Weisheit: Die wahrste, die nützlichste, die behändeste Lehre, die dir in aller Schrift zuteil werden mag, in der du mit kurzen Worten in aller Wahrheit überschwänglich unterwiesen wirst bis zur höchsten Vollkommenheit eines lauteren Lebens, ist diese Lehre: I. Halte dich abgeschieden von allen Menschen; II. Halte dich frei von allen eingezogenen Bildern (d. h. von den von außen durch die Sinneswahrnehmung eingezogenen Bildern); III. Befreie dich von alledem, was Ballast, Anhaften und Kummer bringen kann; VI. Und richte dein Gemüt zu allen Zeiten empor in ein verborgenes göttliches Schauen, in dem du mich zu allen Zeiten vor deinen Augen trägst als einen ständigen Gegenstand, von dem dein Auge recht nimmer wanke.

〜 Makarius der Große
Erhörtes

Wir müssen den Geist von jeder Abschweifung befreien, um ihn zu hindern, sich durch Gedanken in Verwirrung bringen zu lassen. Fehlt diese Befreiung, so betest du vergeblich. Der Geist kreist um seine Gedankenbilder, obwohl er bereit ist zum Gebet; aber sein Gebet dringt nicht empor zu Gott. ¶ *Wenn ein reines Gebet nicht durchdrungen ist mit einem lebhaften Glauben, so erhört Gott das Gebet nicht.* ¶

〜 Meister Eckhart
Die Augen der Seele

Ich sagte einst in einem Kloster: Das ist das eigentliche Bild der Seele, wo nichts aus- noch eingebildet wird, außer was Gott selbst ist. Die Seele hat zwei Augen, ein inneres und ein äußeres. Das innere Auge der Seele ist jenes, das in das Sein schaut und sein Sein ganz unmittelbar von Gott empfängt; dies ist sein ihm eigenes Werk. Das äußere Auge der Seele ist jenes, das da allen Kreaturen zugewendet ist und sie in bildhafter Weise und in der Wirkweise einer Kraft wahrnimmt. ¶ *Der Mensch aber nun, der in sich selbst gekehrt ist, sodass er Gott in dessen eigenem Geschmack und in dessen eigenem Grund erkennt, ein solcher Mensch ist befreit von allen geschaffen Dingen und ist in sich selbst verschlossen unter einem wahren Schloss der Wahrheit.* ¶

~ Johannes Tauler
Seelenspiegel

Die ewige Wahrheit unseres Herrn Jesu Christi hat gesprochen: „Mein Joch ist süß und meine Bürde ist leicht." Dem widersprechen alle natürlichen Menschen, soweit sie ihrer Natur ergeben sind, und meinen, Gottes Joch sei bitter und seine Bürde schwer. Und doch muss es wahr sein, denn die ewige Wahrheit hat es gesprochen.
Ein Joch ist ein Ding, das man mit schwerer Mühe nachschleift oder zieht, und eine Bürde ein Ding, das sehr drückt und schwer lastet. Unter dem Joch versteht man den inwendigen Menschen und unter der Bürde den äußeren Menschen, den alten, den ersten Menschen. Der inwendige edle Mensch ist aus dem edlen Grunde der Gottheit herausgekommen und ist gebildet nach dem edlen, lauteren Gott und ist wieder dahin geladen und wieder hineingerufen und wird wieder hingezogen, damit er all des Gutes teilhaftig werden kann. Denn was der köstliche, wonnige Grund von Natur hat, das kann die Seele aus Gnaden erlangen. Wie Gott nun in dem inwendigen Grunde der Seele den Grund gelegt hat und da verborgen und bedeckt liegt: Wer das finden und erkennen und schauen könne, der wäre ohne allen Zweifel selig. Und wie der Mensch auch sein Gesicht abgekehrt hat und in die Irre geht, so hat er dennoch ein ewiges Locken und Neigen hierzu und kann nirgends Ruhe finden, wie er dies auch umgeht, denn alle anderen Dinge, außer diesem einen, können ihm nicht genügen, dies trägt und zieht ihn ohne sein Wissen ganz in das Allerinnerste. Denn dies ist sein Ziel. Wie alle Dinge rasten an ihrer

Stätte, wie der Stein auf der Erde und das Feuer in der Luft, so rastet die Seele in Gott.

~~~

Wem ist nun dieses Joch süß, dies Ziehen und Tragen? Niemand als den Menschen, die sich, ihr Antlitz, ihr Gemüt, ihr Werk, von allen Kreaturen abgekehrt haben. Die Seele ist recht ein Mittel zwischen Zeit und Ewigkeit. Kehrt sie sich zu der Zeit, so vergisst sie die Ewigkeit; werden ihr die Dinge fern und entrückt, so sind sie klein, wie das, was man fern sieht, klein erscheint, und was nah ist, groß scheint, denn es hat wenig Hindernis vor sich. So ist es mit der Sonne, wenn sie auch sechzig mal größer ist als das ganze Erdreich: Wer im Sommer ein Becken mit Wasser nimmt, wenn die Sonne hoch im Himmel steht, und dort einen kleinen Spiegel hineinlegt, dem erscheint darin die große Sonne vollkommen und kaum wie ein kleiner Grund. Und wie klein auch das Mittel sei, das da zwischen den kleinen Spiegel und die große Sonne käme, das würde dem Spiegel sofort das Bild der großen Sonne entziehen. Genauso ist es mit dem Menschen, der das Mittel bereitet hat, es sei, was es sei oder wie klein es sei, er kann nicht mehr in diesen Grund hineinsehen. Ohne allen Zweifel verhindert dies Mittel, dass sich das große Gut, Gott selbst, in dem Spiegel seiner Seele erbilden kann.
Nun, wie kostbar und wie lauter die Bilder auch sind, alle drängen sie sich als Mittel vor das unverbildete Bild, das Gott ist. Die Seele, in der sich die Sonne widerspiegeln soll, muss bloß und frei sein von allen Bildern, denn wo sich nur ein einziges
~~~

Bild in dem Spiegel zeigt, da wird sie an dem Erkennen des wahren Bildes gehindert.

~

Dass dich alle möglichen Dinge daran hindern, liegt darin, dass du durch sie mit Eigenschaften verbildet bist. Wärst du des Bildes und der Eigenschaft ledig und hättest du dann ein Königreich, es schadete dir nichts. Sei ohne Eigenschaft und bildlos und habe, was du bedarfst, an allen Dingen. Man weiß von einem heiligen Vater, der war so bildlos, dass kein Bild in ihm haften blieb. Nun klopfte da jemand an seine Tür und verlangte etwas von ihm; er sagte, er wolle es ihm holen. Als er aber hineinkam, da hatte er es völlig vergessen. Jener klopfte wieder, er sprach: „Was willst du?" Der bat zum zweiten Male; wieder sagte er, er wolle es ihm holen und vergaß es abermals. Jener klopfte zum dritten Male. Da sagte er: „Komm und nimm es dir selbst, ich kann das Bild nicht so lange in mir behalten, so bloß ist mein Gemüt von allen Bildern."
In solch bildlose Leute scheint die göttliche Sonne hinein, die werden so kostbar aus sich selbst und aus allen Dingen gezogen, sie haben ihren Willen, sich selbst und alle Dinge dem göttlichen Willen, darin sie verstrickt sind, gefangengegeben. Sie werden so wonniglich in das Joch Gottes gezogen, dass sie die Dinge vergessen, so klein erscheinen sie ihnen.

~ Thomas von Kempen
Frieden finden

Wie kann der lange in Frieden bleiben, der sich in fremde Sorgen einmischt, der äußere Zerstreuung sucht, sich aber selten oder flüchtig innerlich sammelt? ¶ *Selig, die in rechter Einfalt des Herzens leben; sie werden viel Frieden haben.* ¶ Warum sind manche Heilige zu solcher Vollkommenheit und zu einer so hohen Beschauung gelangt? Weil sie allen irdischen Begierden ganz abzusterben suchten und darum mit aller Kraft des Herzens Gott anhangen und ohne jede Fessel für ihr Heil wirken konnten.
Wir sind zu sehr von den eigenen Leidenschaften eingenommen und haben zu viel Sorge um vergängliche Dinge.

~ Tertullian
Vom Verlieren

Wenn wir nun weiter die Veranlassungen der Ungeduld durchgehen, so werden auch die übrigen Vorschriften betreffenden Ortes Antwort geben. Ist die Seele etwa durch den Verlust von Hab und Gut beunruhigt – fast auf jeder Seite der göttlichen Schriften wird zur Weltverachtung ermahnt, und eine dringendere Ermahnung zur Verachtung des Geldes gibt es nicht als die, dass der Herr selbst ohne Besitz irgendwelcher Reichtümer gefunden wird. Immerfort erklärt er die Armen für gerecht und verdammt die Reichen von vornherein. So hat er als Mittel, die Verluste erträglich zu machen, den Abscheu vor dem Reichtum im Voraus in Bereitschaft und zeigt durch seine Entäußerung von allen Reichtümern, dass auch Einbußen daran nicht in Anschlag zu bringen seien. Was wir, weil der Herr es nicht begehrte, also auch nicht begehren sollen, dessen Verkürzung oder gänzliche Entziehung müssen wir ohne Klage ertragen. Dass die Habsucht die Wurzel aller Übel sei, das hat der Hl. Geist durch den Apostel verkündet. Glauben wir nicht, dass diese Habsucht etwa bloß in der Begierde nach fremdem Eigentum bestehe! Nein; denn auch, was unser zu sein scheint, gehört uns nicht, weil Gott alles gehört, und wir selbst auch. Wenn wir daher bei einem erlittenen Verluste Ungeduld verspüren, so befinden wir uns in einer der Habsucht verwandten Schuld, indem wir uns über den Verlust von etwas, was nicht uns gehört, betrüben. Wir verlangen nach fremdem Gut, wenn wir den Verlust von fremdem Gut ungern ertragen. Wer von Ungeduld über einen Verlust ergriffen wird, der sündigt nahezu gegen Gott selbst, indem er das Irdische höher stellt als das Himmlische. Denn unsere Seele, die wir vom Herrn erhalten haben, hat sich dann von der Liebe zu zeitlichen Dingen verwirren lassen.

~

Verlieren wir also bereitwillig das Irdische und bewahren wir uns das Himmlische! Mag die ganze Welt zugrunde gehen, wenn ich nur die Geduld als Gewinn davontrage! Wenn jemand sich nicht entschließen kann, einen kleinen, durch Diebstahl, Gewalt oder Nachlässigkeit entstandenen Schaden mannhaft zu ertragen, so wird er schwerlich schnell sein Hab und Gut angreifen, wenn es sich um ein Almosen handelt. Würde wohl jemand, der es gar nicht ertragen kann, sich von einem anderen operieren zu lassen, imstande sein, das Messer selbst an sich zu setzen? Gelassenheit bei Verlusten ist eine gute Vorübung im Schenken und Mitteilen. Wer sich vor einem Verlust nicht fürchtet, der ist auch nicht verdrießlich beim Geben.

~ Theolept von Philadelphia
Über die Einfachheit der Seele

Der Geist, der die äußere Welt flieht und sich in seinem Innern sammelt, kommt zu sich selbst. Er versenkt sich so ganz natürlich in sein geistiges Wort, und durch diese wesentliche Verbindung mit ihm gelangt er zum Gebet. Durch dieses Gebet erhebt er sich mit der ganzen Stärke und Kraft seiner Liebe zur Erkenntnis Gottes. Die Begierden des Fleisches schwinden, alle Trugbilder der Lüste treten zurück und die Reize der Erde bieten ihm keine Freude mehr. (...) Beherrsche deine Sinne, und du wirst die Reise ihrer Vorstellungen besiegen. Fliehe die Trugbilder der Gedanken, und du wirst frei werden von ihren Lockungen. Der Geist, der sich bewahrt vor Täuschungen, der nicht die Eindrücke der sinnlichen Gier zulässt und nicht das Nachdenken darüber, der erlangt die Einfachheit der Seele. Über die Welt der Sinne und der Gedanken hinwegschreitend steigt sein Denken zu Gott empor aus den Tiefen seines Gemütes.

wahre kontemplation

~ Johannes von der Leiter
Unbewölkter Seelenhimmel

Die Gottversenkung ist ein vollständiges Freisein von jeglicher Sorge über vernünftige oder unvernünftige Dinge. Wer den Ersten das Tor öffnet, wird es auch den Zweiten tun (...) ¶ *Wie das kleine Sandkörnchen im Auge genügt, um den Blick zu trüben, so genügt eine kleine Sorge, um die Gottesversenkung zu stören.* ¶ Sie ist ja die Ausschaltung aller Gedanken und jeglicher Sorge. Der ungetrübte Seelenhimmel kennt nicht das kleinste Sorgenwölkchen, selbst nicht um den eigenen Körper. Wer Gott den unbewölkten Himmel seiner Seele darbieten will und die geringste Sorgenwolke daran aufsteigen lässt, der gleicht einem Menschen, der mit straff gefesselten Füßen laufen will.

~ Thomas Merton
Wahrhaft kontemplativ

Das Zusammenleben mit anderen, wodurch wir lernen, im Verstehen ihrer Schwächen und ihrer Mängel uns selbst zu verlieren, kann uns in unserem Bestreben fördern, wahrhaft kontemplative Menschen zu werden, denn es gibt kein besseres Mittel, sich der Starrheit und Härte und Rauheit unserer eingefleischten Selbstsucht zu entledigen, die sich als das eine große, unüberwindliche Hindernis der eingegossenen Erleuchtung und der Wirkung des Geistes Gottes entgegenstellt.

~ Bonaventura
Einkehren zu sich selbst

Durch Sorgen abgelenkt, tritt die Seele des Menschen nicht durch das Gedächtnis in sich selbst ein; durch Fantasiebilder umnebelt, kehrt sie nicht durch den Verstand zu sich selbst zurück und von Begierden angelockt, findet sie auch durch das Verlangen nach innerer Süßigkeit und geistlicher Freude nicht mehr zu sich heim. So ist sie ganz in das Sinnenfällige verstrickt und kann deshalb zum Bilde Gottes in sich nicht einkehren. Wohin aber einer gefallen ist, da muss er auch liegen bleiben, wenn nicht jemand kommt und ihm hilft, aufzustehen. Darum konnte sich unsere Seele nicht vollkommen von den Sinnendingen zur Schau ihrer selbst und der ewigen Wahrheit in sich selbst erheben, wenn diese Wahrheit nicht in Christus menschliche Gestalt angenommen und sich uns zur Leiter gemacht hätte, indem sie die erste Leiter, die in Adam zerbrochen war, wiederherstellte. Mag darum jemand noch so sehr durch das Licht der Natur und des erworbenen Wissens erleuchtet sein, er kann nicht in sich einkehren, um sich im Inneren im Herrn zu erfreuen, wenn Christus ihm nicht hilft, der da sagt: „Ich bin die Tür; wenn jemand durch mich eintritt, wird er gerettet werden; er wird ein- und ausgehen und Weide finden." Dieser Tür aber nahen wir uns nur, wenn wir an ihn glauben, auf ihn hoffen und ihn lieben. Wollen wir also zum Genuss der Wahrheit wie ins Paradies bei uns eintreten, dann müssen wir es tun durch den Glauben, die Hoffnung und die Liebe zu Jesus Christus, dem Mittler zwischen Gott und den Menschen, der da ist wie der Lebensbaum inmitten des Paradieses.

~ Johannes vom Kreuz
Auf der Suche nach Gott

Wenn die Seele Gott finden will, muss sie ihren Neigungen und ihrem Willen nach von allen Geschöpfen ausgehen und in tiefster Sammlung in ihr eigenes Inneres eingehen. Gott ist ja in der Seele verborgen; und da muss Ihn der wahrhaft beschauliche Mensch in Liebe suchen!

~ Meister Eckhart
Ungezwungen

Nicht, als ob man seinem Innern entweichen oder entfallen oder absagen solle, sondern (gerade) in ihm und mit ihm und aus ihm soll man so wirken lernen, dass man die Innerlichkeit ausbrechen lasse in die Wirksamkeit und die Wirksamkeit hineinleite in die Innerlichkeit und dass man sich so gewöhne, ungezwungen zu wirken. Denn man soll das Auge auf dieses innere Wirken richten und aus ihm heraus wirken, sei's Lesen, Beten oder – wenn es anfällt – äußeres Werk. Will aber das äußere Werk das innere zerstreuen, so folge man dem inneren.

Könnten aber beide in einem bestehen, das wäre das Beste, auf dass man ein Mitwirken mit Gott hätte.

~ Thomas Merton
Beschaulich

Wahre Beschauung ist das Wirken einer Liebe, die, über alle Befriedigung und alle Erfahrung hinausgehend, in der Nacht reinen, nackten Glaubens ruht. Dieser Glaube führt uns so nahe an Gott heran, dass man sagen könnte, er berühre und erfasse ihn, wie er ist, wenngleich in Dunkelheit. Und diese Berührung hat oftmals einen tiefen Frieden zur Folge, welcher in die niedrigen Kräfte der Seele überströmt und auf diese Weise zum „Erleben" wird. Doch bleibt dieses Erleben und Empfinden von Frieden stets nur eine Begleiterscheinung der Beschauung, sodass das Fehlen dieses „Gefühls" nicht bedeutet, dass unser Kontakt mit Gott aufgehört hat.

~ Meister Eckhart
Stufenweise

Die erste Stufe des inneren und neuen Menschen, spricht Sankt Augustinus, ist es, wenn der Mensch nach dem Vorbilde guter und heiliger Leute lebt, dabei aber noch an den Stühlen geht und sich nahe bei den Wänden hält, sich noch mit Milch labt. Die zweite Stufe ist es, wenn er jetzt nicht nur auf die äußeren Vorbilder, (darunter) auch auf gute Menschen, schaut, sondern

läuft und eilt zur Lehre und zum Rate Gottes und göttlicher Weisheit, kehrt den Rücken der Menschheit und das Antlitz Gott zu, kriecht der Mutter aus dem Schoß und lacht den himmlischen Vater an.
Die dritte Stufe ist es, wenn der Mensch mehr und mehr sich der Mutter entzieht und er ihrem Schoß ferner und ferner kommt, der Sorge entflieht, die Furcht abwirft, sodass, wenn er gleich ohne Ärgernis aller Leute (zu erregen) übel und unrecht tun könnte, es ihn doch nicht danach gelüsten würde; denn er ist in Liebe so mit Gott verbunden in eifriger Beflissenheit, bis der ihn setzt und führt in Freude und in Süßigkeit und Seligkeit, wo ihm alles das zuwider ist, was ihm (=Gott) ungleich und fremd ist.
Die vierte Stufe ist es, wenn er mehr und mehr zunimmt und verwurzelt wird in der Liebe und in Gott, sodass er bereit ist, auf sich zu nehmen alle Anfechtung, Versuchung, Widerwärtigkeit und Leid-Erduldung willig und gern, begierig und freudig.
Die fünfte Stufe ist es, wenn er allenthalben in sich selbst befriedet lebt, still ruhend im Reichtum und Überfluss der höchsten unaussprechlichen Weisheit.
Die sechste Stufe ist es, wenn der Mensch entbildet ist und überbildet von Gottes Ewigkeit und gelangt ist zu gänzlich vollkommenem Vergessen vergänglichen und zeitlichen Lebens und gezogen und hinüberverwandelt ist in ein göttliches Bild, wenn er Gottes Kind geworden ist.

~ Johannes Tauler
Lebendige Wahrheit

Nun kommen einige und sprechen von so großen, vernünftigen, überwesentlichen und überformhaften Dingen, recht als ob sie über die Himmel geflogen seien, und kamen noch nie einen Schritt aus sich selbst heraus durch Erkenntnis ihres eigenen Nichts. Sie mögen wohl zu vernünftiger Wahrheit gekommen sein, aber zur lebendigen Wahrheit, da die Wahrheit ist, dazu kommt niemand als auf diesem Wege der Erkenntnis seines Nichts.

~ Makarius der Große
In der Gegenwart Gottes bleiben

Ein Mönch, der seine Zelle liebt, muss seinen Geist in Sammlung bewahren, frei bleiben von den Sorgen der Welt und sich nicht stören lassen durch ihre Nichtigkeit. Sein einziges Streben ist allein darauf gerichtet, seine Gedanken allein auf Gott, und zwar jeden Augenblick, zu konzentrieren, das aber beharrlich zu jeder Stunde und ohne Unruhe, sodass nicht die geringsten weltlichen Dinge mit ihrer Aufregung in sein Herz eindringen. Was auch immer auf seine Seele und sein Gemüt einwirken mag, er bleibt in der Gegenwart Gottes.

〜 Thomas von Kempen
Himmlisches schauen

Der innerliche Mensch sammelt sich rasch, weil er sich nie ganz der Außenwelt preisgibt. Ihm steht keine äußerliche Mühe oder die von Zeit zu Zeit notwendige Arbeit im Wege; wie die Dinge kommen, fügt er sich ihnen. Wer innerlich in gutem Zustand und geordnet ist, der kümmert sich nicht um das wunderliche und verkehrte Treiben der Menschen. ¶ *Man wird nur soweit behindert und abgelenkt, wie man sich auf die Dinge einlässt.* ¶ Stünde es gut mit dir und wärest du lauter genug, so würde dir alles zum Guten und Fortschritt dienen. Darum missfällt dir vieles und beunruhigt dich so oft, weil du dir selbst noch nicht ganz abgestorben, nicht von allem Irdischen losgeschält bist.
Nichts befleckt und bestrickt das Herz des Menschen so sehr wie die ungeordnete Liebe zu den Geschöpfen. Wenn du äußerlichen Trost verschmähst, wirst du Himmlisches schauen können und stets von Neuem im Herzen frohlocken.

〜 Cassian
Echte Demut

Da ich nun also sehe, dass ihr die Grundsätze unseres Berufes von der besten Art der Mönche angenommen habt, nämlich, von der lobenswerten Ringschule der Klöster aus zu den hohen Gipfeln der anachoretischen Lebensregel zu streben, so übet die Tugend der Demut und Geduld, die ihr, wie ich nicht zweifle,

dort gelernt habt, mit wahrer Neigung des Herzens, und erheuchelt sie nicht wie so manche mit falscher Demütigung in Worten oder mit angenommener und überflüssiger Beugung des Körpers in gewissen Leistungen.
Diese verstellte Demut hat der Abt Serapion einmal herrlich verspottet. Als nämlich einer zu ihm kam, der die größte Erniedrigung seiner selbst in Haltung und Rede zur Schau trug, und der Greis ihn nun der Sitte gemäß mahnte, das Gebet zu sprechen, gab dieser der Aufforderung keineswegs nach, sondern behauptete voll Unterwürfigkeit, er sei in so große Laster verstrickt, dass er nicht einmal verdiene, die gemeinsame Luft mitzubenutzen. Auch vermied er das Sitzen auf der Matte und setzte sich lieber auf den Boden. Nachdem er noch weniger seine Einwilligung zur Abwaschung der Füße gegeben hatte, begann Abt Serapion nach vollendetem Abendessen, wo ihm die gewöhnliche Unterredungsstunde Gelegenheit gab, ihn gütig und sanft zu ermahnen, er wolle doch besonders bei seiner Jugend und Kraft nicht müßig und unstet mit wechselvollem Leichtsinne überall umherlaufen, sondern er solle in einer Zelle bleiben und lieber nach der Regel der Altväter sich durch seine Arbeit ernähren als durch die Freigebigkeit anderer. „Der Apostel Paulus wollte, damit er nicht in so etwas falle, obwohl ihm für seine Mühe in der Predigt des Evangeliums eine Darreichung mit Recht gebührte, lieber Tag und Nacht arbeiten, um sowohl sich als denen, die in seinem Dienste waren und ein Geschäft nicht ausüben konnten, den täglichen Lebensunterhalt mit seinen Händen zu verschaffen." Darauf wurde dieser mit solchem Widerwillen und Missmut erfüllt, dass er die im Herzen empfundene Bitterkeit nicht einmal in der Miene verbergen konnte.

Da sprach der Greis zu ihm: „Bisher, o Sohn, beludest du dich mit aller Schwere der Untaten, ohne Furcht, du möchtest etwa durch das Bekenntnis so furchtbarer Verbrechen deinem Rufe einen Schandfleck anhängen; wie kommt es denn nun, ich bitte dich, dass ich dich auf meine einfache kleine Mahnung, die doch nicht nur keine Schande in sich schloss, sondern die Meinung, zu erbauen und Liebe zu beweisen, — von solchem Unwillen bewegt sehe, dass du ihn nicht einmal in der Miene verbergen oder durch eine heitere Stirne uns täuschen kannst? Glaubtest du vielleicht bei deiner Selbstdemütigung aus unserm Munde jenen Spruch zu hören: ‚Der Gerechte klagt sich am Anfange seiner Rede selbst an?' ¶ *Man muss also die echte Demut des Herzens bewahren, welche nicht in der erheuchelten Erniedrigung durch Haltung und Rede, sondern in der innerlichen des Geistes besteht.* ¶ Diese wird dann in den klarsten Beweisen ihrer Geduld glänzen, wenn einer nicht selbst Verbrechen von sich ausschreit, die andere nicht glauben können, sondern wenn er das, was ihm von andern in anmaßender Weise zugefügt wird, nicht achtet und die ihm widerfahrenen Beleidigungen mit sanfter Ruhe des Herzens erträgt.
Germanus: Wir wünschen nun zu erfahren, wie diese Ruhe erlangt und bewahrt werden könne, damit, wie wir durch das uns befohlene Stillschweigen die Riegel des Mundes schließen und die Freiheit des Redens im Zaume halten, wir auch ebenso die Sanftmut des Herzens bewachen können. Es wird wohl zuweilen zugleich mit der Zunge auch das Herz gezügelt, aber es verliert doch innerlich den Zustand seiner Ruhe.

SCHWEIGEN UND HÖREN

~ Johannes von Sterngassen
Schweigen und Horchen

Er soll sein Herz und seine äußeren Sinne schließen vor allen äußeren Dingen und soll seine inneren Sinne schließen vor aller Sorge um Vergängliches. Er soll alle seine Gedanken in sich selbst einkehren lassen. Er soll schweigen und horchen, was Gott ihm sage. Er soll sich über sich selbst erheben.

~ Johannes vom Kreuz
Göttliches Schweigen

Ist die Seele ganz rein geworden, dann nimmt sie keine Rücksicht mehr auf die Bemerkungen eines anderen noch auf menschliches Ansehen. Sie findet frei von allen Rücksichten ihr Genügen in der Vereinsamung, wo sie im Verkehr mit Gott Frieden kostet; denn ihre Erkenntnis wird ihr im göttlichen Schweigen zuteil.

❡ *Wie alle Dinge rasten an ihrer Stätte, wie der Stein auf der Erde und das Feuer in der Luft, so rastet die Seele in Gott.* *Johannes Tauler* ❡

~ Meister Eckhart
Vom Wissen zum Unwissen

Wenn der Mensch ein inwendiges Werk wirken will, so muss er all seine Kräfte in sich ziehen wie in einen Winkel seiner Seele und muss sich verbergen vor allen Bildern und Formen, und da kann er dann wirken. Da muss er in ein Vergessen und in ein Nichtwissen kommen. Er muss in einer Stille und in einem Schweigen sein, wo dies Wort gehört werden soll. Man kann diesem Wort mit nichts besser nahen als mit Stille und mit Schweigen: Dann kann man es hören, und alsdann versteht man es ganz in dem Unwissen. Wenn man nichts weiß, dann zeigt und offenbart er sich.
Nun könnt ihr sagen: Herr, ihr setzt all unser Heil in ein Unwissen. Das klingt wie ein Mangel. ¶ *Gott hat den Menschen geschaffen, dass er wisse; wo Unwissen ist, da ist Verneinung und Leere.* ¶ Der Mensch ist, das muss wahr sein, ein Tier, ein Affe, ein Tor, solange er im Unwissen verharrt. Das Wissen aber soll sich formen zu einer Überform, und dies Unwissen soll nicht vom Nichtwissen kommen, vielmehr: Vom Wissen soll man in ein Unwissen kommen. Dann sollen wir wissend werden des göttlichen Unwissens, und dann wird unser Unwissen geadelt und geziert mit dem übernatürlichen Wissen. Und hier, wo wir uns empfangend verhalten, sind wir vollkommener, als wenn wir wirkten.

~ Johannes Tauler
Reichtum im Hören

Gib nicht acht auf das, was außer dir ist, und was dir nicht befohlen ist, dessen nimm dich nicht an, und lass alle Dinge auf sich selbst beruhen: Was gut ist, lass gut sein, was böse ist, berichtige nicht noch frage danach. Kehre dich in deinen Grund und beharre dabei und gib auf die väterliche Stimme acht, die in dir ruft: Sie ruft dich in sich hinein und gibt dir solchen Reichtum, dass ein solcher Mensch im Notfall allen Pfaffen genug geben könnte; mit solcher Klarheit wird der eingenommene Mensch begabt und erleuchtet.

III.
LosLassen

„Das Höchste und das Äußerste,
was der Mensch lassen kann,
das ist, dass er Gott um Gottes willen lasse.“
(Meister Eckhart)

armut ist freiheit

~ Thomas von Kempen
Wahrer Reichtum

Selten findet man einen so innerlichen Menschen, dass er sich von allem losgeschält hätte. Wo gibt es jemand, der wahrhaft arm im Geiste und von allen Geschöpfen losgelöst ist? „Fernher und von den äußersten Grenzen ist sein Wert" (Sprüche 31,10). Wenn ein Mensch sein ganzes Vermögen hingibt, so ist das noch nichts. Und wenn er schwere Buße geübt hat, so ist das noch wenig. Hätte er sich ein umfassendes Wissen angeeignet, so ist er noch weit vom Ziel. Besäße er große Tugend und glühendste Andacht, so fehlt ihm noch viel, nämlich das Eine, das ihm höchst notwendig ist. Was ist dieses Eine? Dass er, nachdem er alles verlassen hat, sich selbst verlasse, ganz aus sich herausgehe und von der Eigenliebe nichts behalte.
Er denke bescheiden von dem, was hoch eingeschätzt werden könnte, und nenne sich aufrichtig einen unnützen Knecht, wie die Wahrheit spricht: „Wenn ihr alles getan habt, was euch vorgeschrieben ist, so sprecht: Wir sind unnütze Knechte" (Lukas 17,10). Dann wird er, wahrhaft arm und entblößt im Geiste, mit dem Propheten sagen können: „Ich bin einsam und arm" (Psalm 24,16). Dennoch ist niemand reicher, niemand mächtiger, niemand freier als jemand, der es fertigbringt, sich und alles zu verlassen und sich auf den untersten Platz zu setzen.

〜 Ignatius von Loyola
Vollkommene Armut

Wo wir eine Anhänglichkeit spüren, die der vollkommenen Armut, welche sei es im Geist, sei es in der Entsagung von Dingen besteht, entgegengesetzt ist oder mehr zu Reichtum neigt, dann hilft es sehr, sie auszutreiben, von Gott her – mag auch das Fleisch widerstehen – zu erbitten, dass er uns erwähle, einer solchen Armut zu folgen. Wir werden jedoch inzwischen die Freiheit unseres Verlangens wahren, die es uns erlaubt, den angebrachten Weg für den göttlichen Dienst einzuschlagen.

〜 Franz von Assisi
Von der Armut im Geiste

„Selig die Armen im Geiste, denn ihrer ist das Himmelreich" (Matthäus 5,3). Viele gibt es, die in Verrichtung von Gebeten und Gottesdiensten eifrig sind und ihrem Leib vieles Fasten und viele Abtötungen auferlegen, die aber an einem einzigen Wort, das ihrem „lieben Ich" Unrecht zu tun scheint, oder an einer beliebigen Sache, die man ihnen fortnehmen würde, anstoßen und darüber sofort in Aufregung geraten. Diese sind nicht arm im Geiste; denn wer wirklich arm im Geiste ist, der hasst sich selbst und liebt jene, die ihn auf die Wange schlagen (Matthäus 5,39).

~ Meister Eckhart
Was heißt arm sein?

Zum Ersten sagen wir, dass der ein armer Mensch sei, der nichts will. Diesen Sinn verstehen manche Leute nicht richtig: Es sind jene Leute, die in Bußübung und äußerlicher Übung an ihrem selbstischen Ich festhalten, was diese Leute jedoch für groß erachten. Erbarm's Gott, dass solche Leute so wenig von der göttlichen Wahrheit erkennen! ¶ *Diese Menschen heißen heilig aufgrund des äußeren Anscheins, aber von innen sind sie Esel, denn sie erfassen nicht den (genauen) eigentlichen Sinn göttlicher Wahrheit.* ¶ (...) Wenn einer mich nun fragte, was denn aber das sei: ein armer Mensch, der nichts will, so antworte ich darauf und sage so: Solange der Mensch dies noch an sich hat, dass es sein Wille ist, den allerliebsten Willen Gottes erfüllen zu wollen, so hat ein solcher Mensch nicht die Armut, von der wir sprechen wollen; denn dieser Mensch hat (noch) einen Willen, mit dem er dem Willen Gottes genügen will, und das ist nicht rechte Armut. Denn soll der Mensch wahrhaft Armut haben, so muss er seines geschaffenen Willens so ledig sein, wie er's war, als er (noch) nicht war. Denn ich sage euch bei der ewigen Wahrheit: Solange ihr den Willen habt, den Willen Gottes zu erfüllen, und Verlangen habt nach der Ewigkeit und nach Gott, solange seid ihr nicht richtig arm. Denn nur das ist ein armer Mensch, der nichts will und nichts begehrt.

Zum andern Male ist das ein armer Mensch, der nichts weiß. Wir haben gelegentlich gesagt, dass der Mensch so leben sollte, dass er weder sich selbst noch der Wahrheit noch Gott lebe. Jetzt aber sagen wir's anders und wollen weitergehend sagen: Der Mensch, der diese Armut haben soll, der muss so leben, dass er nicht (einmal) weiß, dass er weder sich selbst noch der Wahrheit noch Gott lebe. Er muss vielmehr so ledig sein alles Wissens, dass er nicht wisse noch erkenne noch empfinde, dass Gott in ihm lebt – mehr noch: Er soll ledig sein alles Erkennens, das in ihm lebt. Denn als der Mensch (noch) im ewigen Wesen Gottes stand, da lebte in ihm nicht ein anderes; was da lebte, das war er selbst. So denn sagen wir, dass der Mensch so ledig sein soll seines eigenen Wissens, wie er's tat, als er (noch) nicht war, und er lasse Gott wirken, was er wolle, und der Mensch stehe ledig.

Zum Dritten ist das ein armer Mensch, der nichts hat. Viele Menschen haben gesagt, das sei Vollkommenheit, dass man nichts an materiellen Dingen der Erde (mehr) besitze, und das ist wohl wahr in dem Sinne: wenn's einer mit Vorsatz so hält.

¶ *Die Armut im Geiste ist ein Gut, das alle Güter der Welt in sich begreift.* Teresa von Avila ¶

〜 Teresa von Avila
Armut ist eine Ehre

Glaubt es, meine Töchter, dass mir der Herr zu euerem Nutzen ein wenig Einsicht in die Vorteile verliehen hat, die in der wahren Armut liegen! Die es erproben, werden es einsehen, vielleicht aber nicht so gut wie ich; denn obwohl ich Armut gelobt hatte, so war ich doch nicht nur nicht arm im Geiste, sondern sogar töricht im Geiste. Die Armut im Geiste ist ein Gut, das alle Güter der Welt in sich begreift. Sie ist eine große Herrschaft, und nochmal sage ich: Der ist Herr über alle Güter der Welt, der sie verachtet. Was kümmere ich mich um die Könige und Herren, wenn ich weder nach ihren Einkünften verlange noch ihnen zu gefallen begehre, sobald nur das Geringste vorkommt, wodurch ich ihretwegen Gott missfallen würde? Was liegt mir an ihren Ehren, wenn ich einmal erkannt habe, worin die höchste Ehre eines Armen besteht, nämlich dass er in Wahrheit arm ist? Ich halte dafür, dass Ehre und Geld fast immer sich zusammenfinden; wer die Ehre liebt, verabscheut auch das Geld nicht; wer aber dieses verachtet, macht sich auch wenig aus der Ehre. Versteht dies wohl! Mir scheint nämlich das Streben nach Ehre immer von einigem Interesse an Einkünften und Geld begleitet zu sein, weil der Mensch, wenn er arm ist, in der Welt wunderselten geehrt wird; vielmehr achtet man ihn gering, wie ehrenwert er an sich auch sein mag. Die wahre Armut, das ist jene, die man einzig um Gottes willen erwählt hat, bringt eine überschwengliche Ehre mit sich, sodass es wohl niemanden gibt, der sie nicht auf sich nehmen würde. Da braucht man niemandem zu gefallen als Gott allein. ¶ *Und es ist ganz gewiss, dass man*

viele Freunde hat, wenn man keines Menschen bedarf. ¶
Dies habe ich durch die Erfahrung gut erkannt.

〜 Aus der Regel der Heiligen Klara von Assisi
Erbinnen des Himmelreiches

1. Die Schwestern sollen sich nichts aneignen, weder ein Haus, noch einen Ort, noch irgendetwas anderes. Als Pilger und Fremdlinge (vgl. 1. Petrus 2,11) auf dieser Welt sollen sie dem Herrn in Armut und Demut dienen und vertrauensvoll um Almosen schicken.
2. Und sie dürfen sich nicht schämen, weil der Herr sich unsertwegen auf dieser Welt arm gemacht hat. Das ist jene Erhabenheit der allerhöchsten Armut, die euch, meine geliebtesten Schwestern, zu Erbinnen und Königinnen des Himmelreiches eingesetzt, an Gütern arm gemacht, an Tugenden geadelt hat. Sie soll euer Anteil sein, der euch hineinführt in das Land der Lebendigen (vgl. Psalm 141,7).

¶ *Lass dich belehren, lass dir befehlen; lass dich erniedrigen und schmähen, und du wirst vollkommen sein.* Johannes vom Kreuz ¶

IRDISCHES UND GEISTIGES LOSLASSEN

∼ Thomas Merton
Unvollkommene Vollkommenheit

Es gibt gewisse Aspekte der Loslösung vom äußeren Leben, der seelischen Reinheit und der Gewissenszartheit, zu denen auch Menschen von echter Heiligkeit nur in den allerseltensten Fällen gelangen. Selbst in den strengsten Klöstern und anderen Gemeinschaften, wo das Leben dem ernstlichen Streben nach Vollkommenheit geweiht ist, kommt es vielen nie in den Sinn, in welchem Maße sie von unbewussten Formen der Selbstsucht beherrscht werden, wie oft ihre tugendhaften Handlungen durch ein engherziges menschliches Selbstinteresse bestimmt sind. Tatsächlich sind oftmals gerade die Starrheit und der unbeugsame Formalismus dieser frommen Männer schuld daran, dass sie sich nicht wahrhaft aus ihren Bindungen zu lösen vermögen. Sie haben die Freuden und Wünsche des Weltlebens aufgegeben; dafür aber streben sie nach Freuden einer feineren und geistigeren Art. ¶ *Manchmal ahnen sie überhaupt nicht, dass es möglich ist, die Vollkommenheit mit einer Heftigkeit von selbstbewusstem Eifer anzustreben, die an sich schon unvollkommen ist.* ¶

~ Ignatius von Loyola
Auf der Suche nach dem Reich Gottes

Bis heute ist es uns mit Gottes Güte immer gut gegangen. Jeden Tag erfahren wir mehr, wie wahr jenes Wort ist: „Nichts habend besitzen wir alles'" (2. Korinther 6,10). Alles, sage ich, was Gott denen versprochen hat, die zuerst sein Reich suchen und dessen Gerechtigkeit. Und wenn dies schon denen verheißen wird, die „zuerst" das Gottesreich und seine Gerechtigkeit suchen – was kann dann denen noch mangeln, die einzig und allein die Gerechtigkeit des Reiches, ja das Reich selbst suchen? Deren Segnung nicht im „Tau des Himmels und im Fett der Erde" besteht, sondern einzig im Tau des Himmels? Denen, sage ich, die innerlich ungeteilt sind? Denen, sage ich, die mit beiden Augen nur auf das Himmlische blicken? Diese Gnade gebe uns jener, der, obwohl Er reich war an allem, sich aller Dinge entäußerte zum Vorbild für uns. Der in einer solchen Glorie von Macht und Weisheit und Güte war und sich dennoch der Macht, dem Urteil und dem Willen des grenzenlos geringen Menschen unterwarf.

~ Mechthild von Magdeburg
Wahre Wüste

Du sollst das Nichts lieben,
du sollst das Etwas fliehen,
du sollst für dich sein
und sollst dich an niemanden wenden,

du sollst unermüdlich tätig sein
und doch von allen Dingen frei,
du sollst die Gefangenen losbinden
und die Selbstherrlichen bändigen,
du sollst die Kranken erquicken
und selbst doch nichts besitzen,
du sollst das Wasser der Pein trinken
und das Feuer der Liebe mit dem Holz der Tugenden entzünden!
So bist du in der wahren Wüste zu Hause.

~ Thomas Merton
Der Weg zur Beschauung

Ein Mensch, der hofft, zur Beschauung zu gelangen schon durch den Verzicht auf *verbotene* Dinge, wird nicht einmal bis zum wahren Begriff der Beschauung vordringen, denn der Weg zu Gott führt durch tiefe Finsternis, in der alles Wissen und alle geschöpfliche Weisheit, jeder Genuss und jede Lebenslust, alle menschliche Hoffnung und Freude von der überragenden Reinheit des Lichtes und der Gegenwart Gottes überwältigt und ausgelöscht werden. Alles, was wir wissen, alles, was wir mit unseren natürlichen Fähigkeiten genießen und begehren können, wird dann zum Hindernis, ihn so, wie er in sich selbst ist, zu besitzen. Denn solange wir noch an solchen Dingen Gefallen finden, werden wir in unendlicher Ferne von ihm bleiben.

∼ Meister Eckhart
Wahrhaftes Werden

Der Mensch muss lernen, bei allen Gaben sein Selbst aus sich herauszuschaffen und nichts Eigenes zu behalten und nichts zu suchen, weder Nutzen noch Lust noch Innigkeit noch Süßigkeit noch Lohn noch Himmelreich noch eigenen Willen. Gott gab sich nie noch gibt er sich je in irgendeinen fremden Willen, nur in seinen eigenen Willen gibt er sich. Wo aber Gott seinen Willen findet, da gibt er und überlässt er sich in ihm mit allem dem, was er ist. Und je mehr wir dem Unsern entwerden, umso wahrhafter werden wir in diesem. Darum ist's damit nicht genug, dass wir ein einzelnes Mal uns selbst und alles, was wir haben und vermögen, aufgeben, sondern wir müssen uns oft erneuern und uns selber so in allen Dingen einfaltig und frei machen.

∼ Johannes vom Kreuz
Götzen des Herzens

Unter den Anhänglichkeiten an die Geschöpfe, von denen der Wille gereinigt werden muss, versteht man jedwede Liebe zu sich selbst, jede Sucht nach Ehre, nach Bequemlichkeit und Wohlleben, nach dem Besitz irgendeiner Sache, kleine Zuneigungen, Dinge oder Personen, die man zu Götzen seines Herzens macht.

〜 Meister Eckhart
Gottes Eigen

Dass wir uns freihalten von allen Dingen, die außer uns sind, dafür will (uns) Gott zu eigen geben alles, was im Himmel ist, und den Himmel mit all seiner Kraft, ja alles, was je aus ihm ausfloss. Und was alle Engel und Heiligen haben, das soll uns so zu eigen sein wie ihnen, ja in höherem Maße als mir irgendein Ding zu eigen ist. Dafür, dass ich um seinetwillen mich meiner selbst entäußere, dafür wird Gott mit allem, was er ist und zu bieten vermag, ganz und gar mein Eigen sein, ganz so mein wie sein, nicht weniger noch mehr.

〜 Johannes vom Kreuz
Fesseln sprengen

Ob ein Vogel mit einer Schlinge aus starkem Kupferdraht oder mit einem dünnen und zarten Faden gefangen wird, ist einerlei. Er bleibt gefangen, bis das eine oder andere Hemmnis beseitigt ist. So kann sich auch die Seele, die von irgendeiner auch noch so kleinen menschlichen Anhänglichkeit eingenommen ist, nicht zu Gott erheben, bis sie diese Fessel gesprengt hat.

~ Teresa von Avila
Himmlisches Unterpfand

Wir sind sehr schwach und sehr zu den Dingen dieser Welt geneigt. Darum wird sich niemand vom Irdischen lösen können, wenn er nicht erkennt, dass er ein Unterpfand des Himmlischen besitzt. Durch dieses verleiht uns der Herr zugleich die Kraft wieder, die wir durch die Sünde verloren haben.

~ Franz von Assisi
Von der Reinheit des Herzens

„Selig, die reinen Herzens sind, denn sie werden Gott schauen" (Matthäus 5,8). Reinen Herzens sind die, die das Irdische verachten, das Himmlische suchen und – rein an Herz und Seele – nicht nachlassen, immer den Herrn, den wahren und lebendigen Gott, anzubeten und zu schauen.

~ Thomas von Kempen
Ewiges

Nichts soll dir bedeutend erscheinen, nichts kostbar und bewundernswert, nichts der Beachtung würdig, nichts erhaben, nichts wahrhaft lobens- und begehrenswert außer dem, was ewig ist.

∼ Meister Eckhart
Gott sein lassen

¶ *Das Höchste und das Äußerste, was der Mensch lassen kann, das ist, dass er Gott um Gottes willen lasse.* ¶ Nun ließ Sankt Paulus Gott um Gottes willen; er ließ alles, was er von Gott nehmen konnte, und ließ alles, was Gott ihm geben konnte, und alles, was er von Gott empfangen konnte. Als er dies ließ, da ließ er Gott um Gottes willen, und da blieb ihm Gott.

∼ Klara von Assisi
Auf dem engen Weg

Ihr habt erkannt, so glaube ich fest, dass das Himmelreich einzig und allein den Armen vom Herrn versprochen und geschenkt wird (vgl. Matthäus 5,3) – wer nämlich ein irdisch Ding liebt, verliert die Frucht der Liebe – und dass man nicht Gott und dem Mammon dienen kann; denn entweder wird man den einen lieben und den anderen hassen, oder dem einen dienen und den anderen verachten (Matthäus 6,24). Ihr habt erkannt, dass der Bekleidete nicht mit dem Nackten kämpfen kann; da derjenige schneller zu Boden geworfen wird, der etwas hat, wodurch er gehalten werden kann, dass niemand in der Welt herrlich leben und dort mit Christus herrschen kann und dass ein Kamel leichter durch ein Nadelöhr geht als ein Reicher ins Himmelreich (Matthäus 19,24). Deshalb habt ihr die Kleider, nämlich den irdischen Reichtum, abgelegt, um dem, der mit euch ringt, nicht gänzlich zu unterliegen, damit ihr auf dem engen Weg und durch die schmale Pforte eintreten könnt ins Himmelreich (vgl. Matthäus 7,14).

Meister Eckhart
Lasst ab vom Nichts

Wollte ich Gott ansehen mit meinen Augen, mit jenen Augen, mit denen ich die Farbe ansehe, so täte ich gar unrecht daran, denn dieses (Schauen) ist zeitlich; nun ist aber alles, was zeitlich ist, Gott fern und fremd. Nimmt man Zeit, und nimmt man sie auch nur im Kleinsten, im „Nun", so ist es (doch noch) Zeit und besteht in sich selbst. Solange der Mensch Zeit und Raum hat und Zahl und Vielheit und Menge, so ist er gar unrecht daran und ist Gott ihm fern und fremd. Darum sagt unser Herr: Wer mein Jünger werden will, der muss sich selbst lassen (Lukas 9,23); niemand kann mein Wort hören noch meine Lehre, er habe denn sich selbst gelassen. Alle Kreaturen sind in sich selbst nichts. Darum habe ich gesagt: Lasst ab vom Nichts und ergreift ein vollkommenes Sein, in dem der Wille recht ist. Wer seinen ganzen Willen gelassen hat, dem schmeckt meine Lehre, und er hört mein Wort.

Basilius der Große
Entsagung

„So kann also keiner von euch, der nicht allem entsagt, was er besitzt, mein Jünger sein." Und anderswo fügt er zu den Worten:

„Wenn du vollkommen werden willst" erst dann hinzu: „Komm und folge mir nach", nachdem er vorhergesagt hat: „Gehe hin, verkaufe alles, was du hast, und gib es den Armen." Auch das Gleichnis von dem Kaufmann weiset, wie jeder Vernünftige leicht begreift, ebendahin. „Denn das Himmelreich", sagt er, „ist gleich einem Kaufmann, der gute Perlen sucht. Wenn er eine kostbare Perle gefunden hat, geht er hin, verkauft alles, was er hat, und kauft sie." Denn offenbar bezeichnet die kostbare Perle gleichnisweise das Himmelreich, welches wir, wie die Worte des Herrn zeigen, unmöglich erlangen können, wenn wir nicht zugleich alles, was wir haben, Reichtum, Ehre, hohe Geburt und was es sonst noch gibt, wonach die Menschen streben, ausgeben, um jenes einzutauschen. Dass es ferner auch unmöglich sei, wenn das Gemüt von verschiedenen Sorgen zerrissen ist, das, wonach man strebt, auf die rechte Weise zu tun, zeigt der Herr in den Worten: „Niemand kann zwei Herren dienen." Und wiederum: „Ihr könnt nicht Gott dienen und dem Mammon." Daher müssen wir einzig und allein den himmlischen Schatz wählen, um bei ihm das Herz zu haben; „denn wo dein Schatz ist", heißt es, „da wird auch dein Herz sein." Behalten wir daher irgendeinen irdischen Besitz oder ein vergängliches Gut für uns zurück, so bleibt darin der Geist gleichsam im Kot vergraben und kann die Seele niemals zur Anschauung Gottes gelangen und zur Sehnsucht nach den himmlischen Schönheiten und den uns in den Evangelien verheißenen Gütern bewogen werden, in deren Besitz wir nur gelangen können, wenn uns eine anhaltende und heftige Begierde, sie zu erlangen, treibt und die Mühe um sie erleichtert. Die Entsagung besteht also, wie jene Worte beweisen, in der Loslösung von den Banden dieses materiellen zeitlichen Lebens und in der Befreiung von menschlichen Handlungen, wodurch wir besser in den Stand gesetzt werden, den Weg zu Gott anzutreten und ungehindert nach dem Besitz und Genuss jener Güter zu streben, die kostbarer sind als Gold und Edelsteine. Diese Freiheit, um es mit einem Worte zu sagen, ist eine Versetzung des menschlichen Herzens in den Himmel, sodass wir sagen können: „Denn unser Wandel ist im Himmel." Ja, sie ist, was das Größte ist, der Anfang der Gleichförmigkeit mit Christus, der unsertwegen arm wurde, da er reich war. Ohne diese Gleichförmigkeit sind wir nicht imstande, den evangelischen Wandel Christi zu erreichen. Wann kann denn Zerknirschung des Herzens, Unterdrückung des Hochmuts, des Zorns, der Trauer und der Sorgen, um es kurz zu sagen, die Befreiung von den verderblichen Leidenschaften der Seele bei dem Reichtume, den Weltsorgen und der Anhänglichkeit und Gewöhnung an noch andere Dinge bewerkstelligt werden? Mit einem Worte, wenn es nicht einmal erlaubt ist, selbst um die notwendigen Dinge, um Nahrung und Kleidung, besorgt zu sein, wie soll es denn erlaubt sein, sich von den bösen Sorgen des Reichtums wie von Dornen umstricken zu lassen, welche verhindern, dass der von dem Gärtner unserer Seele ausgestreute Same Frucht trage; wie unser Herr sagt: „Die, welche unter die Dornen gesäet wurden, sind diejenigen, welche in den Sorgen, Reichtümern und Lüsten des Lebens ersticken und keine Frucht bringen."

~ Chrysostomus
Mit Wahrheit umgürtet

Was hinwieder den Lebenswandel betrifft, so streben alle die, welche der Unzucht, der Geldgier, dem Ehrgeize, überhaupt irgendwelcher Leidenschaft frönen, der Erde zu. Sie haben ihre Hüfte nicht festgegürtet, sodass sie in der Ermüdung darauf ausruhen könnten; nein, wenn sie ermüdet sind, können sie ihre Hand nicht darauf stemmen und sich aufrechthalten, sondern sinken schlaff in sich zusammen. Wer dagegen mit der Wahrheit umgürtet ist, wird erstens nie ermatten, und zweitens, selbst wenn er ermatten sollte, wird er eben in der Wahrheit eine Stütze haben, um auszuruhen. Denn wie, sag an! Wird die Armut ihn ermüden können? Durchaus nicht; denn er wird sich zur Erholung auf den wahren Reichtum stützen und durch seine Armut die wahre Armut kennenlernen. Oder wird ihn die Knechtschaft ermüden können? Mitnichten; denn er kennt die wahre Knechtschaft. Oder die Krankheit? Auch diese nicht. „Eure Lenden", spricht Christus, „seien umgürtet und die Lampen brennend", das Licht unauslöschlich.

¶ *Magst du auch Großes wirken, weißt du aber deinen Eigenwillen nicht zu verleugnen und in Unterwürfigkeit zu halten, und legst du nicht die ängstliche Sorge um dich und deine Angelegenheiten ab, so wirst du keine großen Fortschritte in der Vollkommenheit machen.* Johannes vom Kreuz ¶

~ Meister Eckhart
Lassen heißt frei werden

Der Mensch ist wahrhaft arm im Geist, der alles das wohl entbehren kann, was nicht nötig ist. Darum sprach er, der nackt in der Tonne saß, zum großen Alexander, der die ganze Welt unter sich hatte: „Ich bin", sagte er, „ein viel größerer Herr als du bist; denn ich habe mehr verschmäht, als du in Besitz genommen hast. Was du zu besitzen für groß achtest, das ist mir zu klein, es auch nur zu verschmähen." Der ist viel glücklicher, der alle Dinge entbehren kann und ihrer nicht bedarf, als er alle Dinge mit Bedürfnis nach ihnen im Besitz hält. Der Mensch ist der beste, der das entbehren kann, was ihm nicht nottut. Darum: Wer am allermeisten entbehren und verschmähen kann, der hat am allermeisten gelassen.

Das eigene Ich übersteigen

~ Johannes vom Kreuz
Sich selbst entgehen

In Armut, Verlassenheit, ohne den Halt der gewohnten Wahrnehmungen, nämlich in der Dunkelheit meiner Erkenntniskraft, in der Bedrängnis meines Willens, in der Beengung und Bedrückung meiner Gedächtniskraft, mich dem Dunkel in reinem Glauben überlassend, in meinem Willen von nichts bewegt als von schmerzvollem Liebesdrang nach Gott, so entging ich mir selbst – das heißt, meiner niedrigen Weise zu begreifen und meiner schwachen Art zu lieben und meiner kargen Fähigkeit, Gott zu genießen – ich entging mir, ungehindert von Sinnlichkeit und Dämon. Und das war ein selig Los. Ging ich doch über von meinem dürftigen menschlichen Verknüpfen und Wirken zu einem Mitwirken und Verbundensein mit Gott. Das heißt: Meine Erkenntniskraft überschwang sich selbst und wurde von einer menschlichen und natürlichen zu einer göttlichen. Denn da sie sich kraft jener Läuterung mit Gott vereinte, erkennt sie fortan nicht mehr mit ihrer natürlichen Kraft, sondern durch die göttliche Weisheit, mit der sie sich vereinigte. Und mein Wille überstieg sich selbst ins Göttliche. Denn geeinigt mit der göttlichen Liebe, liebt er nicht mehr auf niedrige Weise mit seiner natürlichen Kraft, sondern mit der Kraft und Reinheit des Heiligen Geistes. Und so bewegt sich der Wille nicht mehr auf menschliche Weise zu Gott; und nicht minder hat sich das Gedächtnis zu Wahrbildern der Seligkeit verwandelt. Kurz, alle Kräfte und Neigungen der Seele, sie alle erneuern sich kraft dieser Nacht und Läuterung des alten Menschen mit göttlichen Stimmungen und Entzückungen.

¶ *Wo ich nichts für mich selbst will, da will Gott für mich.* *Meister Eckhart* ¶

~ Thomas Merton
Caritas

Das ist das große Paradox der Caritas: Solange wir nicht selbstsüchtig genug sind, um vollkommene Selbstlosigkeit für uns zu begehren, solange haben wir keine Caritas. Und solange wir uns selber nicht genug lieben, um vollkommenes Glück in totaler Selbstvergessenheit zu suchen, solange werden wir das Glück nicht finden. Caritas ist ein Selbst-Interesse, das Erfüllung im Verzicht auf alle eigenen Interessen sucht. Wenn ich Caritas habe, werde ich mein höchstes Gut in Gott suchen, aber ich werde es in ihm finden, nicht indem ich ihn für mich selbst in Anspruch nehme, sondern indem ich mich selbst aus Liebe zu ihm aufopfere. Und wenn meine Caritas also vollkommen ist, werde ich mich selbst in ihm finden und besitzen.

~ Johannes vom Kreuz
Selbsterkenntnis

Hat die Seele das Gewand der Dürftigkeit, der Trockenheit und Hilflosigkeit angezogen, dann besitzt sie, nachdem ihre früheren Erleuchtungen sie in Dunkel gehüllt haben, jene erhabene und notwendige Tugend der Selbsterkenntnis. Jetzt macht sie in keinem Stücke mehr etwas aus sich. Die Seele erkennt aus ihrem eigenen Elend die Wahrheit, die sie ehedem nicht erkannte.

~ Franz von Assisi
Gewaltige Liebe

Losreißen möge meinen Sinn, ich bitte dich, o Herr, die flammende und süße Gewalt deiner Liebe von allem, was unter dem Himmel ist, damit ich sterbe aus Liebe zu deiner Liebe, der du dich gewürdigst hat, aus Liebe zu meiner Liebe zu sterben.

~ Johannes vom Kreuz
Reinigung

Die Erkenntnis seiner selbst verursacht die Erkenntnis Gottes. Durch die Demut, welche die genannte Selbsterkenntnis der Seele verschafft, reinigt sie sich von all jenen Unvollkommenheiten, in die sie bezüglich der Hoffart zur Zeit ihres Wohlergehens fiel.

¶ *Fürwahr, ließe ein Mensch ein Königreich oder die ganze Welt, behielte aber sich selbst, so hätte er nichts gelassen. Lässt der Mensch aber von sich selbst ab, was er auch dann behält, sei's Reichtum oder Ehre oder was immer, so hat er alles gelassen.* Meister Eckhart ¶

~ Meister Eckhart
Eigenwillig

Die Leute sagen: „Ach ja, Herr, ich möchte gern, dass ich (auch) so gut mit Gott stünde und dass ich ebensoviel Andacht hätte und Frieden mit Gott, wie andere Leute haben, und ich möchte, mir ginge es ebenso oder ich wäre ebenso arm." Oder: „Mit mir wird's niemals recht, ich muss in der Fremde leben oder in einer Klause oder in einem Kloster."
Wahrlich, darin steckt überall dein Ich und sonst ganz und gar nichts; es ist einzig der Eigenwille. Weißt du's auch nicht oder dünkt es dich auch nicht so: Niemals steht ein Unfriede in dir auf, der nicht aus dem Eigenwillen kommt, ob man's nun merke oder nicht. Was wir das meinen, der Mensch solle dieses fliehen und jenes suchen, etwa diese Stätten und diese Leute und diese Weisen oder diesen Vorsatz oder diese Bestätigung – nicht das ist schuld, dass dich die Weise oder die Dinge hindern: Du bist es (vielmehr) selbst in den Dingen, was dich hindert, denn du verhältst dich verkehrt zu den Dingen.

Darum fang zuerst bei dir selbst an, und lass dich! Wahrhaftig, fliehst du nicht zuerst dich selbst, wohin du sonst fliehen magst, da wirst du Hindernis und Unfrieden finden, wo immer es auch sei. Die Leute, die den Frieden suchen in äußeren Dingen, sei's an Stätten oder in Weisen, bei Leuten oder in Werken, in der Fremde oder in Armut oder in Erniedrigung – wie eindrucksvoll oder was es auch sei, das ist dennoch alles nichts und gibt keinen Frieden. Sie suchen völlig verkehrt, die so suchen. Je weiter weg sie in die Ferne schweifen, umso weniger finden sie, was sie suchen. Sie gehen wie einer, der den Weg verfehlt: Je weiter der geht, umso mehr geht er in die Irre.

~ Hildegard von Bingen
Heilig oder hochmütig?

Wenn die Seele in ihrer feurigen Kraft den Menschen überwindet, sodass er von seinem Eigenwillen lässt, dann wird ihm oft in teuflischer Versuchung der Hochmut eingeblasen; aus ihm spricht er in der Verachtung seines Nächsten: „Ich bin schon heilig und kann mit Recht beanspruchen, dass ich von allen gelobt und gepriesen werde."

~ Thomas von Kempen
Die Freiheit des reinen Herzens

Mein Sohn, verlasse dich, und du wirst mich finden. Verzichte auf Wünsche und alles Eigentum, du wirst immer dabei gewinnen. Denn sobald du dir selbst entsagst und dieses Opfer nicht wieder zurücknimmst, wird die rechte Gnade zuteil werden.
Herr, wir oft soll ich mir entsagen und worin mich verlassen? Immer und zu jeder Stunde, im Kleinen und im Großen. Nichts nehme ich aus, sondern in allem will ich dich losgeschält finden. Wie kannst du sonst mein und ich dein sein, wenn du dich nicht von allem Eigenwillen innerlich und äußerlich frei machst? Je schneller du dies tust, umso besser für dich; je vollkommener und aufrichtiger, umso mehr gefällst du mir und umso reicher ist dein Gewinn.
Manche entsagen zwar sich selbst, aber mit einem gewissen Vorbehalt; sie vertrauen nämlich nicht rückhaltlos auf Gott; darum wollen sie sich vorsehen. Andere opfern zunächst alles; aber später, wenn die Versuchung die bedrängt, kehren sie zu dem Eigenen zurück; darum machen sie in der Tugend nicht den geringsten Fortschritt. Alle diese werden nicht zur wahren Freiheit eines reinen Herzens und zur Gnade der vertrauten Freundschaft mit mir gelangen. Sie müssen zuvor sich selbst ganz entsagen und täglich zum Opfer bringen. Ohne diese Selbstaufopferung kommt eine fruchtbringende Vereinigung mit mir weder jetzt noch später zustande.

Ich habe es dir oft genug gesagt und sage es dir jetzt noch mal: Verlasse dich, entsage dir, dann wirst du tiefen Frieden empfinden. Gib alles hin, um alles zu erlangen; nimm nichts aus, verlange nichts zurück. Stütze dich einzig und ohne Zaudern auf mich, und du wirst mich besitzen. Du wirst im Herzen frei sein, und keine Finsternis wird dich einhüllen.

Demut ist Freiheit

~ Teresa von Avila
Zufriedenheit

Seht, die wahre Demut, so finde ich, besteht zum guten Teil darin, ganz bereitwillig sich mit dem zufriedenzugeben, wozu der Herr einen bestimmt, und sich des Namens seiner Dienerin unwert zu fühlen. Da Beschauung und mündliches wie geistiges Beten und Kranke pflegen und Hausarbeit verrichten und den Wunsch hegen, an niedrigster Stelle zu sein, da all dieses Dienst am Gaste ist, der hereintritt, um mit uns zu weilen, zu speisen, mit uns sich zu erfreuen, was liegt uns dann mehr an dem einen als an dem anderen?

~ Meister Eckhart
Um Gottes Willen

Wo der Mensch in Gehorsam aus sich selbst herausgeht, ebenda muss Gott notgedrungen hinwiederum eingehen; denn wenn einer für sich selbst nichts will, für den muss Gott in gleicher Weise wollen wie für sich selbst. Wenn ich mich meines Willens entäußert habe und in die Hand meines Prälaten und für mich selbst nichts mehr will, so muss Gott darum für mich wollen, und vernachlässigt er mich darin, so vernachlässigt er sich

selbst. So steht's in allen Dingen. Wo ich nichts für mich selbst will, da will Gott für mich.
Nun gib acht! Was will er denn für mich, wenn ich nichts für mich will? Worin ich mich ihm überlasse, da muss er für mich notwendig alles das wollen, was er für sich selbst will, nicht weniger noch mehr, und in derselben Weise, mit der er für sich will. Und tät das Gott nicht, bei der Wahrheit, die Gott ist, so wäre Gott nicht gerecht, noch wäre er Gott, was (doch) sein natürliches Sein ist.

In wahrem Gehorsam darf kein „Ich will so oder so oder dies oder das" gefunden werden, sondern (nur) vollkommenes Aufgeben des Deinen. Und darum soll es im allerbesten Gebet, das der Mensch beten kann, weder „Gib mir diese Tugend oder diese Weise" noch „Ja, Herr, gib mir dich selbst oder ewiges Leben" heißen, sondern nur: „Herr, gib (mir) nichts, als was du willst, und tue, Herr, was und wie du willst in jeder Weise!" Dies überragt das erste (Gebet) wie der Himmel die Erde, und wenn man das Gebet so verrichtet, so hat man wohl gebetet: Wenn man in wahrem Gehorsam sich seiner selbst gänzlich Gott entäußert hat. Und so wie wahrer Gehorsam kein „Ich will so" kennen soll, so soll auch niemals von ihm vernommen werden: „Ich will nicht"; denn „Ich will nicht" ist wahres Gift für jeden Gehorsam. Wie denn Sankt Augustin sagt: Den getreuen Diener Gottes gelüstet nicht, dass man ihm sage oder gebe, was er gern sähe oder hörte; denn sein erstes, höchstes Bestreben ist, zu hören, was Gott am allermeisten gefällt.

~ Teresa von Avila

Unerklärliche Freude

Kaum hatte ich das Ordenskleid angelegt, ließ mich der Herr erfahren, wie sehr er solche begünstigt, die sich überwinden, um ihm zu dienen ... Zur selben Stunde gewährte er mir eine derartige Befriedigung über meinen neuen Stand, dass sie mich von da an bis heute niemals verlassen hat. Und Gott verwandelte die Trockenheit meiner Seele in große Innigkeit. Alle Ordensaufgaben machten mir Freude. Wirklich, wenn ich mitunter mit Fegen beschäftigt war und es mir dabei einfiel, dass ich sonst zu dieser Stunde mich zu schmücken und zu vergnügen pflegte, da empfand ich bei dem Gedanken, von dergleichen frei zu sein, eine erneute, eine mir unerklärliche Freude. Wenn ich mir das vergegenwärtige, dann würde ich ohne Zweifel die denkbar schwierigste Aufgabe in Angriff nehmen; denn ich habe es bei vielen Anlässen erfahren: Wenn ich mich dazu bringe, eine Aufgabe entschlossen zu beginnen ..., dann vergilt es Gott schon in diesem Leben auf eine Weise, die nur der, der sie genießt, zu erfassen vermag.

¶ *Verzichte auf Wünsche und alles Eigentum, du wirst immer dabei gewinnen.* Thomas von Kempen ¶

∼ Gregor von Nyssa
Selig werden

Doch kehren wir zu unserem Gegenstande zurück, um nach Schätzen zu graben, und lassen wir nicht ab, wie ein Bergmann zu forschen, um das Verborgene an das Tageslicht zu befördern. Es heißt: „Selig sind die Armen im Geiste!" Schon früher wurde es in gewisser Hinsicht hervorgehoben und soll jetzt wiederholt werden, dass das Ziel und Ende des Tugendstrebens in unserer Verähnlichung mit Gott besteht. Nun entzieht sich aber Gott, weil er vollständig ohne Leidenschaft und ohne Makel ist, einer durchaus vollkommenen Nachahmung vonseiten der Menschen; denn es ist unmöglich, dass sich das in Leidenschaften befangene Menschenleben allseitig jener Natur angleiche, die keiner Leidenschaft fähig ist. Wenn nun Gott nach dem Apostel „allein selig" ist (1. Timotheus 1,11), die Menschen aber einerseits nur durch ihre Angleichung an Gott an der Seligkeit teilnehmen, andererseits die allseitige Nachahmung Gottes durch uns ausgeschlossen ist, so ist folglich eine vollkommene Seligkeit für das menschliche Leben unerreichbar. Teilweise jedoch bietet sich Gott den Menschen, die wollen, zur Nachahmung dar. Inwiefern? Mit „der Armut im Geiste" scheint mir das Wort die freiwillige Verdemütigung zu bezeichnen. Als Beispiel hiefür stellt uns der Apostel jene „Armut" Gottes vor, die er im Auge hat, wenn er von Gott sagt, dass er „unsertwegen arm wurde, damit wir durch seine Armut reich würden" (2. Korinther 8,9). Da nun alle anderen Eigenschaften, die wir an Gott erkennen, das Maß der menschlichen Natur übersteigen, die Demut und die Erniedrigung aber uns gewissermaßen angeboren ist und innig mit uns verwachsen ist, die wir da auf Erden wandeln, auf der Erde unser Dasein fristen und zur Erde wieder zurückkehren, so hast du, wenn du Gott in dem nachahmst, was deiner Natur entspricht, auch die selige Schönheit angezogen.

Niemand aber glaube, dass die Tugend der Demut mühelos und leicht erworben werde! Im Gegenteil ist sie schwerer zu erlangen als jede andere Tugend, wie sie auch heiße. Warum? Deshalb, weil, während der Mensch nach Aufnahme des guten Samens sich dem Schlaf überließ, gerade der gefährlichste Bestandteil des entgegengesetzten Samens, nämlich das Unkraut des Hochmutes vom Feinde unseres Lebens ausgestreut ward und Wurzel fasste. Denn durch dieselbe Sünde, durch die unser Widersacher sich auf die Erde herabstürzte, riss er das unglückliche Menschengeschlecht in gemeinsamem Falle mit sich; und kein anderes Übel ist für uns so schlimm wie das des Hochmutes. Da nun die Leidenschaft des Hochmutes fast mit jedem, der an der menschlichen Natur teilnimmt, sozusagen verwachsen ist, so stellt der Herr, um denselben gewissermaßen als das Grundübel aus unseren Seelen zu entfernen, die Mahnung an die Spitze der Seligpreisungen, den freiwillig arm Gewordenen nachzuahmen, der wahrhaft glückselig ist, damit wir in dem Punkte, in welchem wir es vermögen, das heißt durch freiwillige Armut nach Kräften ähnlich werden und dadurch auch Anteil an der Seligpreisung erhalten.

~ Thomas von Kempen
Wissbegierde

Jeder Mensch ist von Natur aus wissbegierig; aber was nützt das Wissen ohne Gottesfurcht? Besser ist wahrlich ein demütiger Landarbeiter, der Gott dient, als ein hochmütiger Gelehrter, der den Lauf der Gestirne beobachtet, sich selbst aber nicht erkennt. Wer sich selbst recht erkennt, der kommt sich in seinen eigenen Augen klein vor und freut sich nicht über das Lob der Menschen. Wüsste ich alles, was in der Welt ist, und hätte die Liebe nicht: Was würde es mir vor Gott helfen, der mich nach dem Tun richten wird? Lass ab von der übertriebenen Wissbegier; denn es ist viel Zerstreuung und Trug dabei.
Die viel wissen, wollen gern gesehen werden und als gelehrt gelten. Es gibt vieles, dessen Kenntnis der Seele des Menschen wenig oder nichts nützt.

¶ *Kehrt euch zu euch selbst und seht, womit ihr umgeht, und versäumt euch nicht selbst.* Johannes Tauler ¶

~ Johannes Tauler
Heilige Einfalt

Wisst, manch Weib lebt mitten in der Welt und hat Mann und Kind, und mancher Mann sitzt und macht seine Schuhe, und ihre Meinung zu Gott besteht darin, sich und ihre Kinder zu ernähren. Und manch armer Mensch in einem Dorfe geht misten und gewinnt sein Brötlein mit vieler, saurer Arbeit. Und diesen allen kann es geschehen, dass sie hundertmal besser fahren als ihr, Schwestern, denn sie folgen einfältig ihrem Rufe. Das ist doch für ein kläglich Ding! Diese stehen in der Furcht Gottes, in Demut und in Armut, einfältig folgen sie ihrem Rufe.

~ Teresa von Avila
In seine Hände gegeben

Man muss mit Freiheit auf diesem Wehe wandeln und sich den Händen Gottes überlassen. Will Seine Majestät uns zu Ihren Hofleuten und zu Vertrauten Ihrer Geheimnisse erheben, so lasst uns diesem Rufe gerne folgen; wenn nicht, so wollen wir ihr auch in niedrigen Ämtern dienen und uns nicht selbst an den obersten Platz setzen, wie ich dies schon einige Mal gesagt habe. Gott trägt mehr Sorge für uns als wir selbst, und er weiß auch, wozu ein jeder tauglich ist. Warum will sich einer noch selbst regieren, der seinen Willen schon ganz an Gott hingegeben hat?

~ Basilius von Cäsarea
Nur freier Wille bedeutet Freiheit

Aber warum wurde uns, sagt man, bei der Erschaffung nicht das Unvermögen, zu sündigen, sodass wir, auch wenn wir wollten, nicht sündigen könnten? – Du siehst aber doch auch deine Diener nicht für gutgesinnt an, wenn du sie in Banden hältst, sondern wenn sie freiwillig ihre Pflicht dir gegenüber erfüllen.

So ist auch Gott nicht die naturnotwendige Leistung lieb, sondern die Tugendübung. Die Tugend ist aber Sache freier Entschließung, nicht Folge natürlicher Nötigung. Die freie Entschließung aber steht bei uns. Was aber in unserer Macht steht, ist eben der freie Wille. Wer also den Schöpfer tadelt, dass er uns von Natur nicht unsündlich geschaffen hat, stellt die unvernünftige Natur höher als die vernünftige und die bewegungs- und willenlose höher als die freitätige.

Gelassenheit macht frei

~ Heinrich Seuse
Bleibe bei nichts, was nicht Gott ist

Man soll die Lust nicht nehmen nach den Sinnen, man soll sie nehmen nach der Wahrheit. Gott will uns nicht der Lust berauben, er will uns Lust geben in Unendlichkeit. In der kräftigsten Unterwerfung ist die höchste Auferstehung. Wer im Innerlichen sein will, der muss sich aller Mannigfaltigkeit entschütten und entleeren; man muss sich setzen in ein Verzichten auf alles, was nicht das Eine ist.

~

Ein gelassener Mensch gestaltet in sich kein Unglück. (...) Ein gelassener Mensch muss entbildet werden von der Kreatur, gebildet werden mit Christo und überbildet in der Gottheit. Wer sich selbst in Christo nimmt, der lässt allen Dingen ihre Ordnung. Ein gelassener Mensch soll nicht allezeit darauf achtsam sein, wessen er bedürfe, er soll darauf sehen, wessen er entbehren kann.

~

Soviel sich der Mensch von sich selbst und von allen geschaffenen Dingen abkehrt, soviel wird er geeinigt und geseligt. Willst

du ein gelassener Mensch sein, so befleißige dich, dass, wie dir Gott mit sich selbst oder mit seinen Kreaturen in Lieb und in Leid ist, du allezeit gleich stehest in einem Aufgehen des Deinen. ¶ *Bleibe bei nichts, was nicht Gott ist.* ¶ Wer bei sich selbst allezeit wohnt, der gewinnt ein gar reiches Vermögen.
Ein weites Ausschweifen der Sinne entsetzt den Menschen seiner Innerlichkeit. Sieh zu, dass du keine nach außen führenden Dinge treibst; wenn dich die Dinge suchen, so lass dich nicht finden. Habe eine geschwinde Einkehr in dich selbst.
Ein gelassener Mensch bleibt seiner selbst müßig, als ob er um sich selbst nichts wüsste; denn dadurch, dass Gott ist, sind in ihm alle Dinge herrlich ausgerichtet.

~ Johannes Tauler

Wahres Gebet

Ich aber sage dir eins: Kehre dich in Wahrheit von dir selbst und von allen geschaffenen Dingen und richte dein Gemüt völlig hinauf zu Gott über alle Kreaturen in den tiefen Abgrund, da hinein versenke deinen Geist in Gottes Geist, in wahrer Gelassenheit aller deiner obersten und niedersten Kräfte, über alle Sinne und alles Verständnis hinaus, in einer wahren Vereinigung mit Gott innerlich im Grunde. Hiermit übertriffst du alle Weisen, alle Worte und Übungen, und da bitte dann Gott um alles, um das er gebeten sein will und was du und alle Menschen von dir begehren. Und wisse: So klein wie ein kleiner unscheinbarer Heller hunderttausend Mark Goldes gegenüber ist, so ist alles auswendige Gebet gegenüber diesem Gebet, das da ist und heißt wahre Einigung mit Gott, dies Versinken und Verschmelzen des geschaffenen Geistes in den ungeschaffenen Geist Gottes.

~ Teresa von Avila
Traumhaftes

So außerhalb der Welt und in einer kleinen und heiligen Gemeinschaft sehe ich alles wie aus der Höhe, und recht wenig macht mir aus, was man sagt und was man erfährt. Mehr gilt mir die geringste Förderung einer Seele als alles, was über mich gesagt werden kann. Denn seitdem ich hier bin, hat der Herr all meine Wünsche auf dieses Ziel hingelenkt. Und er hat mir eine Art von Schlaf gegenüber dem Leben gegeben, sodass ich alles, was ich sehe, nur zu träumen glaube. Keine starke Regung von Lust oder Pein kommt in mir hoch. Wenn mir die eine oder die andere erregt wird, dann doch nur auf so kurze Zeit, dass es mich wundert, und im Geist haftet sie nicht mehr als ein Traum. Und das ist die volle Wahrheit: Will ich mich an jener Lust weiden oder mich über jene Pein betrüben, dann liegt das nicht in meiner Hand; es ist nur so wie eine einsichtige Person Leid oder Freude über einen verflossenen Traum empfindet. Denn schon hat der Herr meine Seele aufgeweckt, hinweg von dem, was mir, die noch nicht der Welt abgestorben war, Gefühle erregte. Und nicht wolle der Höchste, dass ich von Neuem erblinde.

~ Basilius von Cäsarea
Gleichmut

Daher werden weder unzeitige Todesfälle noch sonst welche Missgeschicke unerwarteter Art uns jemals aus der Fassung bringen, wenn wir uns von religiösen Erwägungen leiten lassen. Setzen wir den Fall: Ich hatte einen jugendlichen Sohn; er war mein einziger Erbe, meines Alters Trost, die Zierde des Geschlechtes, die Blume seiner Altersgenossen, die Stütze der Familie; er stand in der schönsten Blüte seiner Jahre. Er ist nicht mehr – er ist ein Opfer des Todes geworden. Der eben noch in so süßem Wohllaute sprach und für seines Vaters Auge der liebste Anblick war, er ist zu Staub und Asche geworden. Was soll ich nun tun? Soll ich mein Kleid zerreißen, mich auf dem Boden wälzen und klagen und jammern und mich vor der Umgebung wie ein Kind gebärden, das wegen empfangener Schläge schreit und zappelt? Oder soll ich auf die Notwendigkeit des Geschehens achten, wonach das Gesetz des Todes unerbittlich ist und er gleichmäßig durch jedes Alter schreitet, wonach alles, was zusammengesetzt, nach und nach sich auflöst, und so dem Geschehnis mich nicht fremd gegenüberstellen? Und soll ich nicht so wie ein von einem unerwarteten Schlage Betroffener den Mut sinken lassen, der ich doch schon lange zuvor wusste, dass ich Sterblicher einen sterblichen Sohn hatte, dass nichts Menschliches Bestand hat und dass kein Besitz ewig bleibt? Haben doch auch große Städte, berühmt durch die Pracht ihrer Bauten und durch die Macht ihrer Einwohner und dazu noch ausgezeichnet durch den weiteren Wohlstand des Landes und des Marktes, jetzt nur noch in ihren Ruinen die Zeugen ihrer alten Herrlichkeit. – Und ein Schiff, das oft aus dem Meere sich gerettet und tausend schnelle Fahrten gemacht, das den Kaufleuten unzählige Ladungen vermittelt hat, verschwand durch einen einzigen Windstoß in der Tiefe. Auch Kriegsheere, oft siegreich geblieben in den Schlachten, sind, als das Kriegsglück sich wandte, zum traurigen Schauspiel und Gerede geworden. Selbst ganze Völker und Inseln, die zu großer Macht gelangt waren, die zu Wasser und zu Lande viele Siege erfochten und sich einen großen Reichtum erbeutet hatten, sind entweder im Laufe der Zeit zugrunde gegangen, oder sie haben, unterjocht, die Freiheit mit der Knechtschaft vertauscht. Und überhaupt, was du immer an größten und unerträglichen Übeln nennen magst, die Vergangenheit hat schon ihre Beispiele dafür. Wie wir also die Gewichte mit den Waagschalen prüfen und das Gold durch Reiben am Probierstein untersuchen, so werden wir in Erinnerung an das vom Herrn uns vorgeschriebene Maß nirgends die Grenzen der Mäßigkeit überschreiten. Wenn dir also je etwas Widriges passiert, so lass dich nicht außer Fassung bringen, zumal du ja darauf gefasst warst; suche dann vielmehr durch die Hoffnung auf die künftigen Güter die Gegenwart dir leichter zu gestalten! Wie diejenigen, die ein schwaches Auge haben, ihren Blick von grell leuchtenden Gegenständen abwenden und ihr Auge auf Blumen und Grün ruhen lassen, so darf auch die Seele nicht immer auf das Traurige hinsehen und bei den gegenwärtigen Trübsalen verweilen, sondern sie muss ihr Auge auf die Betrachtung der wahren Güter einstellen.

So wirst du das „Sich-allzeit-Freuen" verwirklichen, wenn nämlich dein Leben immer auf Gott hinzielt und die Hoffnung auf Vergeltung die Widerwärtigkeiten des Lebens erleichtert. Du bist in deiner Ehre angegriffen worden? Sieh doch auf die Herrlichkeit, die dir für deine Geduld im Himmel vorbehalten ist! Du bist geschädigt worden (am Vermögen)? Blick doch auf den himmlischen Reichtum und den Schatz, den du dir mit deinen guten Werken hinterlegt hast! Du warst aus der Heimat verjagt? Doch du hast das himmlische Jerusalem als Heimat. Du hast ein Kind verloren? Doch du hast die Engel, mit denen du dich um den Thron Gottes scharen und dich freuen wirst in ewiger Wonne. Wenn du so den gegenwärtigen Trübsalen die künftigen Güter gegenüberstellst, wirst du deine Seele vor Trauer und Kummer bewahren, wozu uns eben das Gebot des Apostels mahnt. So sollen freudige Lebensereignisse deine Seele nicht zu übermäßiger Fröhlichkeit stimmen, noch sollen betrübende Vorkommnisse durch Traurigkeit und Beängstigung ihren Frohsinn und Schwung niederschlagen. Denn wenn du nicht so vorgeschult bist in den Fragen des Lebens, dann wirst du nie ein ruhiges, sturmloses Leben führen. Das kannst du dir aber leicht verschaffen, wenn du zum Gefährten hast das Gebot, das dich auffordert, dich allezeit zu freuen. Du brauchst nur die Belästigungen des Fleisches fernzuhalten, die Freuden der Seele zu sammeln, dich über die sinnlichen Genüsse der Gegenwart zu erheben und deine Gedanken auf die Hoffnung der ewigen Güter einzustellen, deren Vorstellung allein schon hinreicht, die Seele mit Feuer zu erfüllen und Engelswonne in unsere Herzen zu leiten in Christus Jesus, unserm Herrn, dem Ehre und Macht in Ewigkeit. Amen.

~ Gregor von Nyssa
Wesenheit und Leidenschaft

„Als was soll man nun Zorn und Begierde anerkennen? Denn ich vermag nicht einzusehen, mit welchem Recht man Tätigkeiten, die nun einmal in uns sind, abweist, als ob sie nicht zu unserer Natur gehören würden." – „Du siehst, dass unsere Vernunft gegen Zorn und Begierde gleichsam Krieg führt und darauf ausgeht, die Seele davon zu befreien. Manchen ist dieses Streben auch geglückt, wie wir von Moses hören, dass er über Zorn und Begierde den Sieg errang (...) – wer es nämlich durch Sanftmut zur Gelassenheit gebracht, hat unleugbar die Zornmütigkeit überwunden – und dass er kein Begehren nach dem trug, worauf, wie das tägliche Leben zeigt, das Verlangen der meisten gerichtet ist. Eine solche Nachricht wäre nicht möglich, wenn Zorn und Begehren Wesensbetätigungen wären und zum Begriffe unserer Menschennatur gehören würden. Denn wer seine Natur aufgegeben hätte, würde notwendig auch das Sein aufgeben; nun verblieb Moses im Sein, nicht aber in jenen Seelenbewegungen. Sie sind also etwas anderes als die Natur und nicht Natur. Denn die wahre Natur ist das, woran das Sein des Wesens geknüpft ist. Von jenen Affekten können wir uns frei machen, und zwar in der Weise, dass wir hierdurch keinen Schaden leiden, sondern durch ihre Ausrottung unserer Natur großen Nutzen bereiten. Sonach ist es klar, dass Zorn und Begierlichkeit nicht Wesenheit sind, sondern zu den Anhängseln gehören, die wir an unserer Natur beobachten können, indem sie sich als Leidenschaften derselben darstellen; mit Wesenheit nämlich bezeichnet man das, was die Seele selbst ist.

IV. FREISEIN

„Verzichte auf deine Wünsche,
und du wirst erlangen,
was dein Herz begehrt."
(Johannes vom Kreuz)

Die Freiheit des Geistes

∼ Ignatius von Loyola
Freiheit des Geistes

Wahre dir in allen Dingen die Freiheit des Geistes. Schiele in nichts auf Menschenrücksicht, sondern halte deinen Geist innerlich so frei, dass du auch stets das Gegenteil tun könntest. Lass dich von keinem Hindernis abhalten, diese Geistesfreiheit zu hüten. Sie gib niemals auf.

∼ Bernhard von Clairvaux
Über die Reinheit

Dreierlei ist für die Reinheit notwendig: Vollkommenheit in der Tat, Reinheit in der Absicht und ruhige Sicherheit in der Hingabe. Die Reinheit gewährt dreierlei: den Geist der Freiheit, die Freude der Zuversicht und die Festigkeit der Liebe.

∼ Hesychius
Geistliche Lebenskunst

Die geistige Nüchternheit ist eine geistliche Lebenskunst, die uns vollständig mit der Hilfe Gottes und einer klar durchdachten Lebensführung von leidenschaftlichen Gedanken, Worten und Handlungen befreit. Sie schenkt uns eine sichere Kenntnis des unfassbaren Gottes und erschließt uns auf eine unbegreifliche Weise die göttlichen und verborgenen Geheimnisse.

~ Meister Eckhart
Von der Nachfolge Christi

Nicht darin liegt Christi Nachfolge, dass wir süße Worte und geistliche Gebärden haben, dass wir einen großen Schein von Heiligkeit um uns verbreiten, dass unser Name weit und breit umhergetragen werde, dass Gottes Freunde uns recht innig zugetan seien – oder auch, dass wir von Gott so recht verwöhnt und verzärtelt seien und uns gar bedünken lassen, Gott habe aller Kreaturen vergessen um unsertwillen, und was wir von ihm wünschen, das müsse uns auf der Stelle geschehen. Nein, nicht so! Das ist es nicht, was Gott von uns heischt – es geht alles anders. Aber dass wir frei und unerschütterlich befunden werden, wenn man uns verleumdet, wenn man uns Übel zufügt, wenn selbst Gott uns seinen gegenwärtigen Trost entzieht und es uns vorkommt, als wäre eine Mauer zwischen uns und ihm und wir von ihm alleingelassen im Kampf mit unseren Nöten wie Christus von seinem Vater verlassen ward – sehet, dann sollen wir uns verbergen in seine Gottheit: Vater, dein Wille werde vollbracht an mir!

Bei Gott bleiben – frei bleiben

Meister Eckhart
Innerliche Ungebundenheit

Man muss lernen, mitten im Wirken (innerlich) ungebunden zu sein. Es ist aber für einen ungeübten Menschen ein ungewöhnliches Unterfangen, es dahin zu bringen, dass ihn keine Menge und kein Werk behindere – es gehört großer Eifer dazu – und dass Gott ihm beständig gegenwärtig sei und ihm stets ganz unverhüllt zu jeder Zeit und in jeder Umgebung leuchte. Dazu gehört ein gar behender Eifer und insbesondere zwei Dinge: das eine, dass sich der Mensch innerlich wohl verschlossen halte, auf dass sein Gemüt geschützt sei vor den Bildern, die draußen stehen, damit sie außerhalb seiner selbst bleiben und nicht in ungemäßer Weise mit ihm wandeln und umgehen und keine Stätte in ihm finden. Das andere, dass sich der Mensch weder in seine inneren Bilder, seien es nun Vorstellungen oder ein Erhobensein des Gemütes, noch in äußere Bilder oder was es auch sein mag, das dem Menschen gerade gegenwärtig ist, zerlasse noch zerstreue noch sich in das Vielerlei veräußere. Daran soll der Mensch alle seine Kräfte gewöhnen und darauf hinwenden und sich sein Inneres gegenwärtig halten.

〜 Thomas von Kempen
Von der Unbeständigkeit

Mein Sohn, traue nicht deiner augenblicklichen Stimmung; sie schlägt schnell um. Solange du lebst, bist du dem Wandel unterworfen, ob du willst oder nicht. Bald bist du fröhlich, bald traurig; bald ruhig, bald unruhig; jetzt andächtig, dann zerstreut; heut eifrig, morgen träge; einmal ernst, das andere Mal leichtfertig. Über dieser Unbeständigkeit steht der weise, im Geistigen erfahrene Mensch. Er achtet nicht darauf, was er gerade empfindet, von welcher Seite der Wind der Unbeständigkeit weht, sondern darauf, dass das ganze Sinnen und Trachten seines Geistes auf das notwendige, ersehnte Endziel gehe. So wird er sich selbst unerschütterlich gleich bleiben können, da er sein Auge in allen Wechselfällen stets aufrichtig auf mich gerichtet hält. Je reiner dieses Auge ist, das zu mir aufschaut, umso sicherer wandelt der Mensch durch alle Stürme.

〜 Evagrius Ponticus
Rauch statt Feuer

Der Verstand ist ja gewohnt, bei Gedanken zu verweilen und steht gar leicht unter ihrem Eindruck. Wenn er sich aber in seinem Streben nach körperloser Gottesschau und ohne jedes Gedankenbild ablenken lässt, dann nimmt er den Rauch anstatt des Feuers. Beachte diese Vorsichtsmaßregeln und halte deinen Geist frei von jedem fremden Gedanken, damit er in friedlicher Ruhe verweile. Gott aber, der Erbarmen hat mit den Unwissenden, wird dich reich machen durch das Geschenk des Gebetes. Du wirst nicht das vollendete Gebet erhalten, wenn du belastet bist mit stofflichen Dingen und unruhig durch ständige Sorgen; denn das Gebet verlangt frei sein von jedem Gedanken. Es ist dir unmöglich, in Fesseln zu laufen. Der Geist, der Leidenschaften unterworfen ist, wird nie die Höhe des Gebetes erreichen. Er wird durch leidenschaftliche Regungen hin und her gezogen und erlangt nicht die unerschütterliche Ruhe.

~ Johannes vom Kreuz
Eine Einzige

Eine einzige noch bleibende Neigung, eine einzelne Anhänglichkeit des Geistes an etwas Besonderes reicht hin, dass man nicht Anteil nehmen kann an der Lieblichkeit und innigsten Wonne des Geistes der Liebe, welcher alle Süßigkeit in erhabenster Weise in sich begreift.

~ Teresa von Avila
Befreiung von allen Übeln

Unmöglich könnt ihr annehmen, Schwestern, wir wären in diesem Leben jemals frei von vielen Versuchungen und Unvollkommenheiten und selbst von Sünden. Man sagt: „Wer sich frei von Sünden wähnt, der irrt sich." Und das ist wahr. Wenn wir an leibliche Übel, an Mühsale denken, wer litte nicht an vielen von vielerlei Art? Es ist besser, nicht volle

Befreiung von diesen erbitten zu wollen. Wir müssen davon ausgehen, dass wir auf Erden bitten. Und hier ist es – wie ich schon sagte – unmöglich, vollkommen frei zu sein von Übeln des Leibes oder von Unvollkommenheiten und Nachlässigkeiten in der Hingabe an Gott. Die Heiligen will ich beiseite lassen; sie werden alles in Christo vermögen, wie Paulus sagte. Aber Sündiger, wie ich es bin inmitten meiner Nachlässigkeiten, Lauheiten, Mangel an Kasteiung und vielen anderen Schwächen, ich muss wohl den Herrn um Abhilfe bitten. Ihr, Töchter, betet, wie es euch angebracht dünkt. Ich jedoch finde für mich kein Heilmittel in diesem Leben. Und so bitte ich den Herrn, dass er mich von allen Übeln für immer befreie. Welches Heil finden wir in diesem Leben, Schwestern, da uns ein so hohes Heil fehlt, da wir nicht in seiner Gegenwart sind? Befreie mich, Herr, von diesem Schatten des Todes, befreie mich von soviel Mühsalen, befreie mich von soviel Schmerzen, befreie mich von soviel Wechselfällen, von soviel Verbindlichkeiten, denen wir hienieden nicht ausweichen können, von so vielen, vielen, vielen Misslichkeiten, die mich tief ermüden und die den Leser ermüden müssten, wenn ich sie alle niederschriebe. Wer mag dabei das Leben ertragen! Dazu kommt die Belastung, dass ich mein Leben so schlecht genutzt habe, dazu das Bewusstsein, dass ich auch jetzt noch nicht so lebe, wie es meine vielen Verschuldungen verlangen. Du, mein Herr, befreie mich nun von allem Übel! Wollest mich zur Stätte allen Heiles erheben! Was erhoffen wir hier, die wir aus einiger Erfahrung wissen, was die Welt ist, und die wir doch wohl Glauben an das haben, was der ewige Vater uns aufbewahrt? Da sein Sohn darum bittet und da er uns lehrt, es zu erbitten, sollten wir nicht am Leben hängen, sondern wünschen, von allen Übeln frei zu sein!

∼ Thomas Merton
Wirkliches Sehen

Ich möchte wissen, ob es wohl zwanzig Menschen auf der Welt gibt, die die Dinge so sehen, wie sie in Wirklichkeit sind. Dies würde bedeuten, dass es zwanzig Menschen gäbe, die wirklich frei von irgendeiner Bindung an irgendein Geschöpf oder an ihr eigenes Ich oder an irgendeine Gabe Gottes wären, sei es auch die höchste und übernatürlich reinste seiner Gnade. Ich glaube nicht, dass es heute zwanzig solcher Menschen auf der Welt gibt. Einen oder zwei muss es geben. Sie sind es, die alles zusammenhalten und das Universum vor dem Auseinanderfallen bewahren.

∼ Meister Eckhart
Geschaffenes

Ich schrieb einst in mein Buch: Der gerechte Mensch dient weder Gott noch den Kreaturen, denn er ist frei; und je näher er der Gerechtigkeit ist, umso näher ist er der Freiheit und umso mehr ist er die Freiheit selbst. ¶ *Alles, was geschaffen ist, das ist nicht frei.* ¶ Solange (noch) irgend etwas über mir ist, das nicht Gott selbst ist, das mich drückt, so klein es auch oder wie immer es (geartet) sei; und wäre es selbst Vernunft und die Liebe: Sofern es geschaffen und nicht Gott selbst ist, bedrückt es mich, denn es ist unfrei.

~ Thomas von Kempen
Ohne Sorgen

Herr, das muss schon ein vollkommener Mensch sein, der nie seine Gedanken vom Himmlischen abirren lässt und inmitten vieler Sorgen gleichsam ohne Sorgen zu leben weiß, nicht wie ein gleichgültiger, bequemer Mensch, sondern mit dem Vorrecht eines freien Herzens, das keinem Geschöpf in ungeordneter Zuneigung anhängt.

~

Ich flehe inständig zu dir, gütiger Gott, bewahre mich vor den Sorgen dieses Lebens, dass ich nicht zu sehr darin verstrickt werde; vor den vielen Bedürfnissen des Leibes, dass ich nicht von der Genusssucht gefangen werde; vor allen Hemmnissen der Seele, dass ich nicht unter der Last gänzlich zu Boden sinke.
Ich meine nicht jene Dinge, denen die weltliche Eitelkeit so eifrig nachjagt, sondern jenes Elend, das meine Seele nach dem allgemeinen Fluche der Sterblichkeit als Strafe beschwert und sie hindert, sich in die Freiheit des Geistes aufzuschwingen, wie sie es gerne möchte.

〜 Leo der Große
Friede und Freiheit

Besitzt doch der Mensch erst dann den wahren Frieden und die wahre Freiheit, wenn das Fleisch auf die Stimme des Geistes hört und der Geist der Führung Gottes folgt. In solch heilsamer Weise kann man sich jederzeit vorsehen, auf dass unsere ständig auf der Lauer liegenden Feinde durch unseren unermüdlichen Eifer erliegen. Jetzt jedoch müssen wir noch sorgsamer jenes Ziel erstreben und noch bereitwilliger an seine Verwirklichung gehen, da uns in diesen Tagen gerade die verschlagensten Gegner mit erbitterter Schlauheit nachstellen.

¶ *Denn bei Gott ist kein Zwang; gute Erkenntnis aber ist bei ihm immerzu, und deswegen gibt er auch allen guten Rat.* *Irenäus von Lyon* ¶

〜 Johannes vom Kreuz
Der Weg zur Wonne

Der Wille kann unmöglich zur Wonne der göttlichen Vereinigung gelangen, noch auch die Umarmung Gottes kosten, solange er sich nicht frei- und losmacht vom Begehren nach irgendeinem besonderen Genuss, sei es nun, dass sich dieser auf natürliche oder übernatürliche Dinge bezieht.

Die Freiheit des Menschen, zu wählen und zu wollen

〜 Thomas Merton
Die Unmöglichkeit einer schlechten Wahl

Die bloße Fähigkeit, zwischen Gut und Böse zu wählen, ist die niedrigste Stufe der Freiheit, und eigentlich ist daran nur der Umstand als frei zu bezeichnen, dass wir uns doch noch für das Gute entscheiden können. In dem Maß, wie du dich für das Böse entscheiden kannst, bist du nicht frei. Schlecht wählen heißt die Freiheit vernichten. Wir können niemals etwas Böses als Böses wählen, sondern nur als etwas anscheinend Gutes. Entschließest du dich aber, etwas zu tun, was gut scheint, jedoch nicht wirklich ist, so tust du, was du eigentlich gar nicht zu tun wünschest und bist deshalb nicht wirklich frei. Die vollkommene geistige Freiheit besteht in der Unmöglichkeit, eine schlechte Wahl zu treffen. Wenn alles, wonach du begehrst, wahrhaft gut ist und jede Wahl nicht nur auf dieses Gute gerichtet ist, sondern es auch erlangt, dann bist du frei, weil du alles tust, was du zu tun wünschest, sodass jeder Willensakt zur vollkommenen Erfüllung deiner Wünsche führt.

¶ *Sein Recht nicht geltend machen und allen den Vorrang gönnen ist das Zeichen eines starken Geistes, eines freigebigen Herzens, das die Eigenschaft besitzt, eher herzugeben als zu empfangen.* Johannes vom Kreuz ¶

Cassian
Kraft und Schwäche des freien Willens

Die Freiheit nun unseres Willens bestätigt die göttliche Schrift, da sie sagt: „Mit aller Wachsamkeit bewahre dein Herz"; aber seine Schwäche zeigt der Apostel mit den Worten: „Der Herr bewahre eure Herzen und euern Verstand in Christo Jesu." Die Kraft des freien Willens verkündet David, da er sagt: „Ich neigte mein Herz zur Haltung deiner Gebote"; aber seine Schwäche lehrt ebenderselbe, wenn er betend spricht: „Neige, mein Herz, zu deinen Zeugnissen und nicht zur Habsucht!" Auch Salomon sagt: „Er neige unsere Herzen zu sich, damit wir wandeln auf all seinen Wegen und seine Gebote halten und seine hl. Bräuche und Aussprüche." Die Macht unseres Willens bezeichnet der Psalmist, da er singt: „Halte zurück deine Zunge vom Bösen, und deine Lippen sollen nicht Trug reden." Seine Schwäche bekennt unser Gebet, wenn wir sprechen: „Setze, o Herr, eine Wache an meinen Mund und eine feste Türe an meine Lippen!" Vom Herrn selbst wird die Fähigkeit unseres Willens erklärt, wenn es heißt: „Löse die Fesseln deines Halses, du gefangene Tochter Sions"; dagegen singt der Prophet von seiner Gebrechlichkeit in den Worten: „Der Herr löst die Gefesselten" und: „Du brachest meine Fesseln, dir will ich bringen ein Opfer des Lobes." Wir hören den Herrn im Evangelium uns zusammenrufen, dass wir zu ihm eilen durch den freien Willen: „Kommet zu mir alle, die ihr mühselig und beladen seid, und ich will euch erquicken"; aber ebenderselbe Herr bezeugt dessen Schwäche und sagt: „Niemand kann zu mir kommen, wenn nicht der Vater, der mich gesandt hat, ihn zieht." Der Apostel eifert unseren freien Willen an, wo es heißt: „Laufet so, dass ihr es erreichet"; aber Johannes der Täufer bezeugt seine Schwäche so: „Nichts kann der Mensch von sich aus ergreifen, wenn es ihm nicht vom Himmel gegeben ist." Es wird uns befohlen, unsere Seelen sorgsam zu bewahren, da ja der Prophet sagt: „Bewahret eure Seelen"; allein in demselben Geiste ruft ein anderer Prophet aus: „Wenn der Herr die Stadt nicht bewacht, so raubt sich vergeblich den Schlaf der Wächter." Der Apostel schreibt an die Philipper, um ihren freien Willen zu zeigen, Folgendes: „Mit Furcht und Zittern wirket euer Heil"; aber um seine Schwäche kund zu tun, fügt er an anderer Stelle bei: „Denn Gott ist es, der in euch das Wollen und Vollbringen bewirkt nach seinem Wohlgefallen."

∼ Bernhard von Clairvaux
Freiheit und Gnade

„Was vollbringt aber dann der freie Wille?", fragst du. Ich antworte kurz: Er wird gerettet. Nimm den freien Willen weg, es gibt nichts mehr, was gerettet werden kann. Nimm die Gnade weg, es gibt nichts mehr, wodurch gerettet wird. Dieses Werk kann ohne die beiden nicht zustandekommen, nicht ohne das eine, durch das es geschieht, nicht ohne das andere, für das oder in dem es geschieht. Gott ist der Urheber des Heils, der freie Wille ist nur geeignet, es zu empfangen. Nur Gott kann es geben, nur der freie Wille kann es empfangen. Was also von Gott allein und allein dem freien Willen gegeben wird, kann weder ohne die Zustimmung des Empfangenden sein noch ohne die

Gnade des Gebenden. Daher sagen wir, dass der freie Wille mit der Gnade, die das Heil wirkt, zusammenwirkt, insofern er zustimmt, das heißt, insofern er gerettet wird. Die Zustimmung bedeutet nämlich Rettung. Daher empfängt die Seele des Tieres in keiner Weise ein Heil dieser Art, weil ihr die freie Zustimmung fehlt, durch die sie ja dem rettenden Gott ergeben gehorcht, sei es, indem sie seine Befehle annimmt oder auf seine Verheißung vertraut, oder indem sie ihm Dank sagt, wenn er seine Gnade spendet.

Er (der Apostel) sagt, dass es drei Formen der Freiheit gibt. Die erste ist die Freiheit der Natur, die zweite die der Gnade, die dritte die des Lebens oder der Herrlichkeit. – Wir können also sagen, dass die erste Freiheit eine Freiheit der Natur ist, die zweite eine Freiheit der Gnade, die dritte eine Freiheit des Lebens oder der Herrlichkeit. Zuerst sind wir nämlich geschaffen worden zu freiem Willen und willentlicher Freiheit, ein edles Geschöpf vor Gott. Zweitens werden wir in der Unschuld erneuert, eine neue Schöpfung in Christus. Drittens werden wir in die Herrlichkeit erhoben, eine vollkommene Schöpfung im Geiste. Die erste Freiheit hat also viel Ehre, die zweite sehr viel auch an Tugend, die letzte aber eine Fülle von Seligkeit. Aufgrund der Ersten übertreffen wir die anderen Lebewesen, in der Zweiten unterwerfen wir das Fleisch, durch die Dritte den Tod.

⁓ Thomas von Aquin
Gott ist die erste Ursache

Die freie Entscheidung ist Ursache der Selbstbewegung, denn durch die freie Entscheidung bewegt der Mensch sich selbst zum Handeln. Zur Freiheit gehört aber nicht notwendig, dass das, was frei ist, erste Ursache seiner selbst sei; wie es auch dazu, dass etwas Ursache eines anderen sei, nicht erforderlich ist, dass es dessen erste Ursache sei. Gott ist also die erste Ursache, die sowohl die natürlichen, als auch die willentlichen Ursachen bewegt. Und wie Er den natürlichen Ursachen, indem Er sie bewegt, nicht wegnimmt, dass ihre Tätigkeiten natürlich sind, so nimmt Er auch, indem Er die willentlichen Ursachen bewegt, nicht weg, dass ihre Handlungen willentliche sind; vielmehr bewirkt Er dies in ihnen; denn Er wirkt in jedem Einzelnen gemäß der Eigentümlichkeit desselben.

⁓ Irenäus von Lyon
Die Freiheit des Menschen

Wenn also jemand dem Evangelium nicht folgen will, so steht es ihm frei, aber es nützt ihm nicht. Der Mensch kann sich für den Ungehorsam gegen Gott entscheiden und für den Verlust des Guten, zieht sich aber dadurch einen gewaltigen Nachteil und Schaden zu. Darum sagt Paulus: „Alles steht mir frei, aber nicht alles bringt Nutzen." „Alles ist erlaubt" weist hin auf die Freiheit des Menschen, die keinem Zwange Gottes unterliegt, „es nützt aber nichts" warnt uns, die „Freiheit zum Deckmantel der Bosheit zu missbrauchen", was nichts nützt. Und wiederum sagt er: „Redet Wahrheit ein jeder mit seinem Nächsten." Und: „Kein böses Wort gehe aus eurem Munde hervor, nichts Schändliches oder eitles Gerede oder Schlüpfriges, was zur Sache nicht gehört, sondern vielmehr Danksagung." Und: „Ihr waret nämlich einst Finsternis, nun aber Licht im Herrn, als Söhne des Lichtes wandelt ehrbar, nicht in Schmausereien und Trinkgelagen, nicht in Schlafkammern und Lüsten, nicht in Zorn und Neid. Und dies waren einige aus euch, aber ihr seid abgewaschen, ihr seid geheiligt im Namen unseres Herrn." Läge es also nicht in unserer Hand, dies zu tun oder nicht zu tun, welchen Grund hätte dann der Apostel und noch viel mehr der Herr selbst gehabt, uns den Rat zu geben, dass wir einiges tun, von anderem aber uns enthalten sollen?

Weil jedoch der Mensch von Anfang an einen freien Willen hat, wie Gott einen freien Willen hat, nach dessen Ebenbild er erschaffen worden ist, so gibt er ihm immer den Rat, das Gute festzuhalten, welches im Gehorsam gegen Gott vollendet wird. Aber nicht nur in den Werken, sondern sogar im Glauben hat Gott die Freiheit und Selbstentscheidung des Menschen beachtet, indem er spricht: „Nach deinem Glauben möge dir geschehen", womit gesagt ist, dass der Glaube ebenso Eigentum des Menschen ist wie sein freier Wille. Und abermals heißt es: „Alles ist möglich dem, der da glaubt" und „Gehe, wie du geglaubt hast, soll dir geschehen!" ¶ *Alle derartigen Stellen lehren, dass der Glaube von der freien Zustimmung des Menschen ab-*

hängt. ¶ Deswegen hat auch „der, welcher ihm glaubt, das ewige Leben; wer aber dem Sohne nicht glaubt, der hat nicht das ewige Leben, sondern der Zorn Gottes wird über ihm bleiben". In dem Sinne also erklärt der Herr das Gute für sein Eigentum und belässt dem Menschen den freien Willen und die Selbstentscheidung, wenn er zu Jerusalem spricht: „Wie oft wollte ich deine Söhne versammeln wie die Henne ihre Kücklein unter den Flügeln, und du hast nicht gewollt. Deshalb wird euch euer Haus öde gelassen werden."

∼ Leo der Große
Wollen und Können

Und jenen, die im Frieden mit Gott leben, die allezeit mit ihrem Vater aus ganzem Herzen sprechen: „Dein Wille geschehe!", vermögen keinerlei Kämpfe verderblich zu werden und keinerlei Angriffe zu schaden. Wenn wir uns nämlich in unseren Bekenntnissen selbst anklagen und der Begehrlichkeit des Fleisches die Zustimmung versagen, so ziehen wir uns zwar die Feindschaft dessen zu, von dem die Sünde stammt, stärken aber im Dienste der göttlichen Gnade jenen Gottesfrieden, der nicht entrissen werden kann. Wir unterwerfen uns damit nicht nur gehorsam unserem König, sondern schließen uns ihm auch in freier Selbstbestimmung an. Wird doch, wenn wir mit ihm gleichen Sinnes sind, wenn wir wollen, was er will, wenn wir missbilligen, was ihm missfällt, gerade er selbst alle Kämpfe für uns durchfechten. Und gerade er selbst, der uns das Wollen gab, wird auch das Können geben, sodass wir an seinen Werken tätig teilnehmen und mit den Worten des Propheten gläubig und voll Jubel ausrufen: „Der Herr ist meine Leuchte und mein Heil: Wen sollte ich da fürchten? Der Herr ist der Beschirmer meines Lebens: Vor wem sollte ich da erzittern?"

❡ *Man sagt: „Der Weg des Menschen ist nicht in seiner Gewalt", was die Ausführung seiner Entschlüsse betrifft, an welcher der Mensch gehindert werden kann, mag er wollen oder nicht. Die Entschlüsse selbst aber sind in unserer Gewalt, die göttliche Hilfe vorausgesetzt.* Thomas von Aquin ❡

~ Augustinus
Das Böse nicht mehr wollen können

Denn der Mensch musste von Anfang an so geschaffen werden, dass er das Gute und auch das Böse wollen konnte, nicht ohne Lohn, wenn er das Gute, aber auch nicht ohne Strafe, wenn er das Böse wollte. Später aber wird es so sein, dass er das Böse gar nicht einmal mehr wollen kann. Allein auch in diesem Zustand wird er des freien Willens nicht entbehren. Im Gegenteil, der Wille wird sogar noch viel freier sein, weil er der Sünde überhaupt nicht mehr wird dienen können.

〜 Irenäus von Lyon

Bei Gott ist kein Zwang

Jenes Wort: „Wie oft wollte ich versammeln deine Söhne, und du hast nicht gewollt", weist auf das alte Gesetz von der Freiheit des Menschen hin. Denn frei hat ihn Gott im Anfang erschaffen, mit eigener Macht wie mit eigener Seele, sodass er mit freiem Willen ohne Zwang von Seiten Gottes Gottes Einsicht folgen sollte. Denn bei Gott ist kein Zwang; gute Erkenntnis aber ist bei ihm immerzu, und deswegen gibt er auch allen guten Rat.

〜 Gregor von Nyssa

Freier Wille bedeutet Gottebenbildlichkeit

Wo ist jetzt die Gottähnlichkeit der Seele? Wo die Schmerzlosigkeit des Leibes? Wo die Ewigkeit des Lebens? Die kurze Dauer unseres Daseins, Krankheiten, Mühseligkeiten, Gebundenheit an jede Art von Leiden an Leib und Seele – dies und dergleichen anführend, kann man unter schweren Anklagen unserer Natur die Ansichten, welche wir über den Menschen vorgetragen haben, auf den Kopf zu stellen suchen. (...) Die Missstände, welche jetzt das Menschenleben drücken, beweisen noch lange nicht, dass der Mensch sich niemals in durchaus glücklicher Lage befand. Denn da der Mensch ein Werk Gottes ist, der aus Güte dieses Lebewesen ins Dasein rief, kann niemand den Verdacht hegen, Gott selbst habe uns, nachdem ihn lautere Liebe zu unserer Erschaffung bestimmte, in eine Welt des Bösen und der Übel gesetzt; vielmehr müssen wir anderswo die Ursache dafür suchen, dass wir das frühere Glück verloren haben und uns jetzt in dem gegenwärtigen Zustand befinden. Der Grund hierfür liegt wiederum innerhalb der Zugeständnisse, welche unsere Gegner machen müssen. Derjenige nämlich, welcher den Menschen zum Zwecke der Teilnahme an seinen eigenen Gütern schuf und ihm die Keime zu allen Vorzügen in die Natur einpflanzte, damit durch jeden derselben unser Verlangen nach der entsprechenden verwandten Vollkommenheit in Gott entzündet werde, wollte uns gewiss nicht das edelste und wertvollste Gut vorenthalten – ich meine die Gnadengabe der Selbstbestimmung und der Freiheit unseres Willens. Würde nämlich der Zwang der Notwendigkeit über dem menschlichen Leben walten, so wäre das Abbild nach dieser Seite hin missraten, insofern es durch diese Unähnlichkeit zu sehr vom Urbild abstechen würde. Denn wie könnte eine gewissen Notwendigkeiten unterworfene und von ihnen geknechtete Natur ein getreues Abbild von jener sein, die da königlich herrscht und regiert? Daher musste der Mensch, weil in allen Stücken zur Ähnlichkeit mit Gott berufen, des Selbstbestimmungsrechtes und der Freiheit teilhaftig werden; infolgedessen ist allerdings auch die Erlangung aller Güter als Kampfpreis an die Tugend geknüpft.

¶ *Da die Erfüllung deines Willens nur dazu dienen wird, dein Leid zu verdoppeln, so verzichte darauf, selbst wenn das Leid dir bleibt.* Johannes vom Kreuz ¶

Wir müssen uns also hüten, alle Verdienste der Heiligen so auf den Herrn zu beziehen, dass wir der menschlichen Natur nichts zuschreiben, als was böse und verkehrt ist. Darin würden wir widerlegt durch den Ausspruch des hochweisen Salomon, ja des Herrn selbst, dessen Worte dies sind. Denn so sprach er, als er nach Vollendung des Tempelbaues betete: „Es wollte mein Vater David ein Haus erbauen dem Namen des Herrn, des Gottes Israels, und es sprach Gott der Herr zu meinem Vater David: Dass du in deinem Herzen dachtest, meinem Namen ein Haus zu bauen, so hast du wohl daran getan, solches in deinem Geiste zu erwägen; aber nicht du wirst meinem Namen ein Haus bauen!" Muss man also von diesem Gedanken und Plane Davids sagen, dass er gut war und aus Gott, oder dass er böse war und vom Menschen? Wenn dies Denken gut war und aus Gott, warum wird ihm von ebendemselben, der es eingab, der Erfolg verweigert? Wenn es aber böse war und vom Menschen, warum wird es vom Herrn gelobt? Man muss also glauben, dass es gut war und vom Menschen kam.

~

Auf diese Weise können wir auch unsere täglichen Gedanken beurteilen. Denn es ist weder dem David allein verliehen, aus sich selbst Gutes zu denken, noch ist es uns von Natur aus verwehrt, irgend Gutes zu verstehen oder zu denken. Man kann also nicht zweifeln, dass zwar alle Keime der Tugenden durch die Gnade des Schöpfers der Seele von Natur aus eingepflanzt seien; aber wenn sie nicht durch die Hilfe Gottes erweckt werden, so können sie nicht zu dem Wachstum der Vollkommenheit gelangen, weil nach dem hl. Apostel weder der etwas ist, der pflanzt, noch der, welcher begießt, sondern der das Wachstum gibt: Gott. Dass aber dem Menschen die Freiheit des Willens nach jeder Seite hin zu Gebote stehe, lehrt auch ganz offenbar jenes Buch, welches das des Hirten heißt, da in ihm gesagt wird, dass einem jeden von uns zwei Engel zur Seite stehen, nämlich ein guter und ein böser, dass es aber in der Wahl des Menschen liege, zu entscheiden, welchem er folgen wolle. Und so bleibt in dem Menschen immer der freie Wille, der die Gnade Gottes vernachlässigen oder schätzen kann; denn es hätte der Apostel nicht befohlen und gesagt: „Mit Furcht und Zittern wirket euer Heil!", wenn dasselbe von uns nicht entweder gesucht oder vernachlässigt werden könnte.

~ Thomas von Aquin
Hat der Mensch freie Entscheidung?

Wer immer freie Entscheidung hat, tut, was er will. Der Mensch tut aber nicht, was er will: „Nicht das Gute, das ich will, tue ich, sondern ich tue das Böse, das ich hasse" (Römer 7,19). Folglich hat der Mensch keine freie Entscheidung.
Wer immer freie Entscheidung hat, kann wollen und nicht wollen, handeln und nicht handeln. Das ist aber dem Menschen nicht gegeben: „Es ist nicht Sache des Wollenden", nämlich zu wollen, „noch Sache des Laufenden", nämlich zu laufen (Römer 9,16). Also hat der Mensch keine freie Entscheidung.

„Frei ist, was Ursache seiner selbst ist“ (Aristoteles). Was also von einem anderen bewegt wird, ist nicht frei. Gott bewegt aber den Willen: „Das Herz des Königs ist in Gottes Hand; Er wendet es, wohin immer Er will“ (Sprüche 21,1); „Gott ist es, der in uns das Wollen und das Vollbringen bewirkt“ (Philipper 2,13). Folglich hat der Mensch keine freie Entscheidung.
Wer immer freie Entscheidung hat, ist Herr seiner Handlungen. Der Mensch ist aber nicht Herr seiner Handlungen: „Der Weg des Menschen ist nicht in seiner Gewalt, noch ist es dem Manne gegeben, seine Schritte zu lenken“ (Jeremia 10,23). Also hat er keine freie Entscheidung.
„Wie ein jeder beschaffen ist, so beschaffen erscheint ihm auch das Ziel“ (Aristoteles). Es ist aber nicht in unserer Macht, irgendwie beschaffen zu sein, sondern das haben wir von Natur. Also ist es uns natürlich, einem bestimmten Ziel zu folgen. Wir folgen ihm demnach nicht aus freier Entscheidung.
Andererseits heißt es in Jesus Sirach 15,14: „Gott schuf im Anfang den Menschen und überließ ihn seinem eigenen Urteil.“ Die Glosse [fügt hinzu]: „d. h. der Freiheit seiner Entscheidung.“

Antwort: Der Mensch hat freie Entscheidung, sonst wären Ratschläge, Ermahnungen, Vorschriften, Verbote, Belohnungen und Strafen zwecklos. Um dies einzusehen, muss man Folgendes erwägen: Es gibt Dinge, die ohne Urteil tätig sind; so bewegt sich der Stein abwärts; ähnlich ist es mit allem, was ohne Erkenntnis ist. – Andere sind tätig mit Urteil, jedoch nicht mit einem freien, so die Tiere. Das Schaf urteilt nämlich, wenn es den Wolf sieht, dass es ihn fliehen muss, mit einem natürlichen und nicht mit einem freien Urteil, weil es nicht aus Überlegung, sondern aus naturhaftem Innenantrieb so urteilt. Ähnlich ist es mit jedem Urteil der vernunftlosen Sinnenwesen. – Der Mensch jedoch handelt mit Urteil, denn er urteilt durch die Erkenntniskraft, dass etwas zu fliehen oder zu erstreben ist. Weil aber dieses Urteil nicht aus einem naturhaften Innenantrieb in einem einzelnen Wirkbaren erfolgt, sondern aus einem Vergleich der Vernunft, so handelt er mit freiem Urteil und hat die Fähigkeit, sich auf Verschiedenes hinzuwenden. Denn der Vernunft steht hinsichtlich des Zufälligen der Weg zu Entgegengesetztem offen, wie sich dies bei den Wahrscheinlichkeitsbeweisen und den rednerischen Überzeugungsmitteln zeigt. Das einzelne Wirkbare ist aber etwas Zufälliges; deshalb kann diesbezüglich das Urteil der Vernunft eine verschiedene Stellung einnehmen und ist nicht auf eines festgelegt. Und darum ist es notwendig, dass der Mensch freie Entscheidung hat, eben weil er vernünftig ist.

¶ *Wer vernunftgemäß handelt, gleicht denjenigen, der vom Marke sich nährt; wer sich nach den Launen der Willensneigung richtet, ist jenem gleich, der eine saftlose Frucht genießt.* Johannes vom Kreuz ¶

~ Gregor von Nyssa

Keine Tugend ohne Freiheit

Wenn dergleichen Sätze auch wirklich von unserer Lehre aufgestellt würden, nämlich der Glaube werde von Seite des göttlichen Willens den Menschen in der Weise zuteil, dass die einen berufen würden, die anderen aber nicht, dann wäre allerdings der erwähnte Vorwurf berechtigt; tatsächlich ergeht jedoch der Ruf zum Glauben an alle gleichmäßig, ohne Unterschied des Ranges, des Alters oder der Nationalität; denn darum hatten beim Beginn der christlichen Predigt ihre Verkünder, die Diener des Wortes, durch göttliche Eingebung plötzlich die Gabe empfangen, in gleicher Sprache zu allen Völkern zu reden, damit niemand der segenspendenden Lehre entbehre. Wie können sie da noch mit Grund gegen Gott die Klage erheben, als ob ihn die Schuld träfe, wenn das Wort [vom Christentum] noch nicht die Herrschaft über alle erlangt hat? Denn der Herr, der über alles gebietet, hat, um die Menschheit überschwänglich auszuzeichnen, etwas auch in unsere Hand gelegt, worüber ein jeder allein Herr ist. Dies ist der freie Wille, ein Vermögen, das keiner Knechtung unterliegt, sondern nur selbst über sich verfügt, die Grundlage für die Freiheit unserer Entschlüsse. Den erhobenen Vorwurf dürfte man daher mit Recht auf diejenigen übertragen, die sich nicht zum Glauben bestimmen lassen, nicht auf den, der sie zum Glauben berief. Denn auch damals, als im Anfang des Christentums Petrus in einer großen Versammlung predigte und an die dreitausend Juden sich bekehrten, haben die anderen, welche ungläubig blieben, dem Apostel keinen Vorwurf darüber gemacht, dass sie sich nicht bekehrten. Denn unbillig ist es, wenn, nachdem die Gnade allen ausnahmslos angeboten wurde, derjenige, der sie freiwillig ausschlägt, statt sich selbst jemand anderen wegen seines Unglückes anschuldigt.

Aber auch gegen das Gesagte erheben die Gegner aus Streitsucht eine Widerrede. Sie sagen nämlich, Gott könnte doch, wenn er nur wollte, auch den Widerspenstigen zwangsweise zur Annahme der Heilsbotschaft führen. – Wo wäre aber dann die Freiheit? Wo die Tugend? Wo das Lob des Gerechten? Denn nur den leblosen oder den unvernünftigen Wesen kommt es zu, nach Gutdünken von dem Willen eines anderen bestimmt und gelenkt zu werden. Die vernünftige und denkende Natur aber würde, sobald sie das Recht der Selbstbestimmung aufgäbe, damit ihre hohe Ausstattung mit dem Denkvermögen verlieren. Denn wozu brauchte sie noch die Fähigkeit, selbst zu denken und zu überlegen, wenn das Recht, nach Gutdünken zu entscheiden, bei einem anderen liegen würde? Wenn aber das Recht der Entscheidung außer Kraft gesetzt wird, dann ist es notwendigerweise vorbei mit der Tugend, da sie durch die Unfähigkeit des Willens, sich selbst in Bewegung zu setzen, am Entstehen gehindert ist; gibt es aber keine Tugend mehr, so verliert das Leben allen Wert, das Verhängnis tritt an die Stelle der Vernunft, das Lob der Gerechten scheidet aus, die Sünde wird gefahrlos, es ist dann ganz gleichgültig, ob man ein gutes oder ein schlechtes Leben führt. Denn mit welchem Rechte könnte man den Wildling tadeln oder den Gesitteten loben? Denn jeder hätte die Antwort zur Hand, dass keiner unserer Entschlüsse von uns abhänge, sondern dass die menschlichen Willensentscheidungen von einer höheren Macht zu dem bestimmt würden, was diesem Herrscher gutdünkt; demnach trifft der Vorwurf, dass nicht alle zum Glauben gelangen, nicht die Güte Gottes, sondern den freien Willen derjenigen selbst, welche die Heilsverkündigung verschmähen.

~ Hildegard von Bingen
Entscheidungen treffen

Im Haus deines Herzens sitzen der Gehorsam und der Stolz. Liebe und Gehorsam klopfen an die Tür deines Herzens, damit du nicht alles ausführst, was an Bösem in deiner Möglichkeit liegt. Jetzt entscheide dich!

~ Augustinus
Allmacht

Wenn wir nämlich als Notwendigkeit das bezeichnen müssen, was nicht in unserer Gewalt steht, sondern das, was es vermag bewirkt, wenn wir auch nicht wollen, wie zum Beispiel die Notwendigkeit zu sterben, so liegt auf der Hand, dass unser Wille, sofern er einen guten oder verkehrten Lebenswandel bewirkt, einer solchen Notwendigkeit nicht untersteht. Wir tun ja vieles, was wir eben nicht tun würden, wenn wir nicht wollten. Und zu den freien Betätigungen gehört in erster Linie das Wollen selbst; es stellt sich ein, wenn wir wollen; und es stellt sich nicht ein, wenn wir nicht wollen; denn wir würden nicht wollen, wenn wir eben nicht wollten. Wenn man aber den Begriff Notwendigkeit in dem Sinn auffasst, wie wir sagen: Es ist notwendig, dass etwas so sei oder so geschehe, so sehe ich nicht ein, warum wir von einer solchen Notwendigkeit die Aufhebung unserer Willensfreiheit befürchten sollten.

Wir stellen ja auch das Leben und das Vorherwissen Gottes nicht unter den Zwang einer Notwendigkeit, wenn wir sagen, es ist notwendig, dass Gott immer lebe und alles vorherwisse; wie auch seiner Macht kein Eintrag geschieht, wenn man sagt, er könne nicht sterben und sich irren. Dieses Nichtkönnen ist derart, dass im Gegenteil, wenn er dies könnte, seine Macht selbstverständlich geringer wäre. Mit Recht heißt er der Allmächtige, obgleich er nicht die Macht hat, zu sterben und sich zu irren. Denn allmächtig heißt er, weil er tut, was er will, nicht aber deshalb, weil er erleidet, was er nicht will; er wäre gar nicht allmächtig, wenn ihm dies widerführe. Demnach vermag er gerade deshalb manches nicht, weil er allmächtig ist. So sprechen wir auch, wenn wir sagen, es sei notwendig, dass wir, wenn wir einen Willensakt setzen, dies mit freiem Willen tun, ohne Zweifel eine Wahrheit aus und unterwerfen deshalb gleichwohl die freie Willensentscheidung nicht einer Notwendigkeit, die die Freiheit aufhebt.

~ Mesrop
Wert und Wertlosigkeit

Und durch die Freiheit des Willens hat [der Mensch] die Macht, in der Freundschaft der heiligen Liebe im Herrn zu bleiben oder auch im Ungehorsam gegen die geistigen Gesetze und vom Guten sich abzuwenden in die Abgründe des Bösen, den Namen der Verworfenen zu erben, den schlimmen, schlechten, wüsten Namen der Ausschweifung und Gottlosigkeit. So können auch die geistigen Heerscharen durch ihren freien Willen unter der

Herrschaft des Schöpfers bleiben oder ihrem Herrn entgegentreten, wie es verständlich ist, dass die Engel in der Liebe Gottes immerdar bleiben, in unaufhörlichem Rühmen ihres Schöpfers. Aber die Abgefallenen unter ihnen hat er zu Satanen gemacht; und die Heerscharen, die mit ihnen hielten, werden unreine und böse Geister genannt. So also haben sie dem Namen nach die Eigenschaften der Natur des Guten und des Bösen und können uns das Gute und das Schlechte offenbaren. Und den Wert und die Wertlosigkeit eines jeden einsehend, wollen wir das Gute nachahmen und das Böse hassen, damit wir hören die selige Stimme, welche sagt: „Edler, du guter und getreuer Knecht, weil du in wenigem getreu warst, will ich dich über vieles setzen; gehe ein in die Freude deines Herrn."

~ Augustinus
Gute Werke

Mit freiem Willen ist ja der Sklave, der den Willen seines Herrn gerne tut: Und so ist auch für die Sünde frei, wer ein Knecht der Sünde ist. Aber auch für die Gerechtigkeit ist darum nur der frei, der von der Sünde frei wird und ein Knecht der Gerechtigkeit zu werden beginnt. Das aber ist erst die wahre Freiheit, weil sich da die Freude aufs Gutestun [nicht auf die Sünde] bezieht, und das ist zugleich eine Gott wohlgefällige Knechtschaft wegen des Gehorsams gegen das [göttliche] Gebot. Allein woher soll ein in Knechtschaft geratener und in die Sklaverei verkaufter Mensch diese Freiheit zum Guten bekommen? Es ist nur dann möglich, wenn ihn derjenige loskauft, der gesagt hat: „Wenn der Sohn euch frei macht, dann erst werdet ihr in Wirklichkeit frei sein." Wie kann sich aber jemand, bevor diese Befreiung im Menschen ihren Anfang genommen hat, rühmen, ein gutes Werk kraft seines freien Willens getan zu haben? Er besitzt ja doch die Freiheit zu einem guten Werk noch gar nicht. Es müsste schon sein, dass sich jemand in eitlem Dünkel und Hochmut erhöbe. So ein Laster aber weist der Apostel mit den Worten zurück: „Aus Gnade seid ihr durch den Glauben erlöst worden."

Freiheit und Liebe sind Namen Gottes

~ Meister Eckhart
Wie nenn ich dich?

Ich habe bisweilen gesagt, es sei eine Kraft im Geiste, die sei allein frei. Bisweilen habe ich gesagt, es sei eine Hut des Geistes; bisweilen habe ich gesagt, es sei ein Licht des Geistes; bisweilen habe ich gesagt, es sei ein Fünklein. Nun aber sage ich: Es ist weder dies noch das; trotzdem ist es ein Etwas, das ist erhabener über dies und das als der Himmel über der Erde. Darum benenne ich es nun auf eine edlere Weise, als ich je benannte, und doch spottet es sowohl solcher Edelkeit wie der Weise und ist darüber erhaben. Es ist von allen Namen frei und aller Form bloß, ganz ledig und frei, wie Gott ledig und frei ist in sich selbst. Es ist so völlig eins und einfaltig, wie Gott eins und einfaltig ist, sodass man mit keinerlei Weise dahinein zu lugen vermag.

~ Thomas Merton
Gott ist Freiheit

Gott, in welchem kein Hauch und keine Möglichkeit von Bösem oder Sünde ist, Gott ist unendlich frei. Oder anders ausgedrückt: Er ist die Freiheit. Der Wille Gottes allein ist frei von

Fehl. Jede andere Freiheit kann irren und durch falsche Wahl auf Abwege geraten. Und alle wahre Freiheit wird uns gegeben als eine übernatürliche Gabe Gottes, als eine Teilnahme an seiner wesentlichen Freiheit durch die eingegossene Liebe, womit er die Seelen zuerst in vollkommener Übereinstimmung, und dann in innigster Willenseinheit an sich bindet.

∼ Bernhard von Clairvaux
Fortschritt in der Liebe

„Zieh uns her hinter dir; wir werden im Duft deiner Salben eilen" (Hohelied 1,3). Wenn wir gezogen werden, so bedeutet das eine Schwierigkeit. Wenn wir eilen, so bedeutet das Freiheit. Wenn wir gezogen werden, so hat der Ziehende die Mühe. Wenn wir eilen, so liegt die Mühe bei dem Vorläufer, jenem nämlich, der wie ein Held frohlockte und seine Bahn lief. Er ist vorausgelaufen, um uns anzutreiben, er hat sich abgemüht, uns zu ziehen. Es zieht Gott, es zieht auch der Mensch: der Mensch durch Wort und Beispiel; Gott aber, indem er wachsen lässt. Beiderlei Fortschritt aber, sowohl dessen, der noch Anfänger ist, als auch der des bereits Fortgeschrittenen, liegt allein in der Liebe. Die Liebe wird nämlich bei manchen gezogen, bei manchen dagegen zieht sie und wird gezogen. Wo sie aber keines von beiden bewirkt, ist sie keine Liebe. Gezogen werden die Anfänger; die Fortgeschrittenen ziehen und werden gezogen. Gezogen wurde jener, der das sagt: „Zieh mich hinter dir her." (Hohelied 1,4). Daher kommt jenes Wort: „Niemand kommt zu mir, wenn ihn nicht der Vater zieht" (Johannes 6,44). Es zog jener, der da sprach: „Verherrlicht mit mir den Herrn. Tretet hin zu ihm, und ihr werdet erleuchtet“ (Psalm 33,4.6). Dabei meinte er: So, wie ich erleuchtet worden bin. Die Liebe ist nämlich bei denen, die gezogen werden, die Kirche; in jenen, die sie zieht, ist sie aber feurig und strahlend. Bei diesen ist die ziehende Person eine Mutter, bei den Ersten ist die gezogene Person ein Kind. Eine Mutter ist es, wenn sie ihre Kücken unter ihre Flügel nimmt, wenn sie ihre Schwingen ausbreitet und jene auf ihren Schultern trägt; sie wärmt und ernährt. Ein Kind ist es, wenn es wegen seiner Schwäche lieber jemandem unterstehen als vorstehen möchte, lieber gezogen werden als ziehen und lieber belehrt werden als lehren will.

~ Thomas Merton
Liebe heißt Befreiung

Wenn wir Ihn schauen, werden wir erkennen, dass wir ein Geschöpf nur lieben können, indem wir Gott lieben. Denn alle Geschöpfe sind dafür bestimmt, in ihrem Schöpfer geliebt zu werden, und nur in ihm. Wir werden erkennen, dass wir sie nur in Ihm wahrhaft zu lieben vermögen und dass wir in ihnen auch Ihn lieben. Darum kann der heilige Bernhard sagen, dass wir den höchsten Grad der Liebe erreichen, wenn wir endlich sogar uns selbst in Gott lieben und um Seinetwillen. Auch dort endet Liebe in Befreiung. Sie befreit von Schwierigkeiten, Problemen und Paradoxen. Dort werden wir endlich die Einfalt erlangen, für die Gott uns erschaffen hat. Denn, schließlich, wenn Er uns liebt, können wir nicht behaupten, wir wären nicht gut oder nicht liebenswert.

~ Thomas von Kempen
Deine Wahrheit lehre und behüte mich

Wenn die Wahrheit dich frei gemacht hat, bist du in Wahrheit frei und kümmerst dich nicht mehr um das eitle Geschwätz der Menschen.
Herr, was du sprichst, ist wahr. Möge es sich, darum bitte ich dich, an mir erfüllen. Deine Wahrheit lehre und behüte mich. Sie bewahre mich bis zu meinem seligen Ende. Sie befreie mich vor jeder bösen Neigung und ungeordneten Liebe, auf dass ich in großer Freiheit des Herzens mit dir wandle.

~ Meister Eckhart
Wesen und Werk der Liebe

Nun könntest du ferner fragen, wann der Wille ein rechter Wille sei? Dann ist der Wille vollkommen und recht, wenn er ohne jede Ich-Bindung ist, und wo er sich seiner selbst entäußert hat und in den Willen Gottes eingebildet und geformt ist. Ja, je mehr dem so ist, desto rechter und wahrer ist der Wille. Und in solchem Willen vermagst du alles, es sei Liebe oder was du willst.
Nun fragst du: „Wie könnte ich die Liebe haben, solange ich sie nicht empfinde noch gewahr werde, wie ich es an vielen Menschen sehe, die große Werke aufzuweisen haben und an denen ich große Andacht und wunders was finde, wovon ich nichts habe?"
Hier musst du zwei Dinge beachten, die sich in der Liebe finden: Das eine ist das Wesen der Liebe, das andere ist ein Werk

oder ein Ausbruch des Wesens der Liebe. Die Stätte der Liebe ist allein im Willen: Wer mehr Willen hat, der hat auch mehr Liebe. Aber wer davon mehr habe, das weiß niemand vom anderen; das liegt verborgen in der Seele, dieweil Gott verborgen liegt im Grunde der Seele. Diese Liebe liegt ganz und gar im Willen; wer mehr Willen hat, der hat auch mehr Liebe.

~

Nun gibt's (aber noch) ein Zweites: Das ist ein Ausbruch und ein Werk der Liebe. Das tritt recht in die Augen, wie Innigkeit und Andacht und Jubilieren, und ist dennoch allwegs das Beste nicht. Denn es stammt mitunter gar nicht von der Liebe her, sondern es kommt bisweilen aus der Natur, dass man solches Wohlgefühl und süßes Empfinden hat, oder es mag des Himmels Einfluss oder auch durch die Sinne eingetragen sein; und die dergleichen öfter erfahren, das sind nicht allwegs die Allerbesten.

~ Cassian
Notwendige Hilfe

Es lässt sich also nicht leicht mit der menschlichen Vernunft begreifen, wie der Herr den Bittenden gibt, von den Suchenden gefunden wird, den Anklopfenden öffnet und doch wieder von den nicht nach ihm Forschenden gefunden wird, offen sichtbar erscheint unter denen, die nicht nach ihm fragen, und den ganzen Tag seine Hände ausbreitet nach einem Volk, das ihm nicht glaubt, sondern widerspricht, wie er die Widerstrebenden und weit Entfernten ruft, die Nichtwollenden zum Heile zieht, denen, die sündigen wollen, die Gelegenheit entzieht, ihren Willen auszuführen, und denen, die sich in Ungerechtigkeiten stürzen, voll Güte im Weg steht. Wem aber sollte es leicht begreiflich sein, wie die Hauptsache des Heiles unserem Willen zugeschrieben werden könne, von dem es heißt: „Wenn ihr wollt und mich höret, so sollt ihr essen, was gut ist auf Erden"; und wie dies dann wieder nicht Sache des Wollenden und Laufenden, sondern des erbarmenden Gottes sein solle? Wie soll es sein, dass Gott einem jeden nach seinen Werken vergelte, und dass doch Gott es ist, „der in euch das Wollen und Vollbringen bewirkt nach seinem Wohlgefallen", und dass es also nicht aus euch ist, sondern Gottes Geschenk, nicht nach den Werken, damit niemand sich rühme. Was soll auch das sein, wenn es heißt: „Nahet euch Gott, und er wird sich euch nahen", während er anderswo sagt: „Niemand kommt zu mir, wenn nicht der Vater, der mich gesandt hat, ihn zieht." Warum heißt es (Sprüche 4,26): „Mache recht den Lauf deiner Füße und richte deine Wege"? Und wie können wir dann im Gebete sagen: „Lenke meinen Weg nach deinem Angesichte" und: „Mache vollkommen meine Schritte auf deinen Wegen, dass nicht wanken meine Füße"? Wozu ferner werden wir ermahnt: „Machet euch ein neues Herz und einen neuen Geist", wenn doch versprochen wird: „Ich werde ihnen ein neues Herz geben und einen neuen Geist einsenken in ihr Inneres; und ich werde hinwegnehmen das Herz von Stein aus ihrem Leibe und ihnen ein Herz von Fleisch geben, damit sie in meinen Gesetzen wandeln und meine Aussprüche bewahren"? Warum befiehlt der Herr und sagt: „Wasche dein Herz, o Jerusalem, von der Bosheit, damit du gerettet werdest"? Und was erbittet dann der Prophet vom Herrn, wenn er sagt: „Ein reines Herz erschaffe in mir, o Gott!" und wieder: „Wasche mich, und ich werde weißer als Schnee"? Wie ist es zu verstehen, wenn uns gesagt wird: „Erleuchtet euch mit dem Lichte der Wissenschaft", während es dann von Gott heißt: „Der da lehret die Menschen Wissenschaft" und: „Der Herr erleuchtet die Blinden", oder doch wie wir mit dem Propheten bittend sagen: „Erleuchte meine Augen, damit ich nicht sinke in Todesschlaf"? Ist nicht in all dem ebensowohl die Gnade Gottes als die Freiheit unseres Willens verkündigt, und dass der Mensch zuweilen auch aus eigenem Antrieb sich zum Verlangen nach Tugenden erheben kann, immer aber der Hilfe bedarf? Denn es genießt einer die Gesundheit nicht gleich, wenn er will, und wird von Krankheit nicht gleich nach jenem Verlangen befreit. Was nützt es nun aber, die Gnade der Gesundheit zu begehren, wenn nicht der Herr, der den Genuss des Lebens gibt, auch die Frische der Gesundheit verleiht? Damit es aber umso deutlicher erhelle, dass auch durch die natürliche Güte, die uns durch des Schöpfers Geschenk verliehen ist, zuweilen die Anfänge guter Willensregungen einstehen können, die jedoch ohne Gottes Führung nicht zur Vollendung der Tugenden gelangen können, so ist uns der Apostel Zeuge, wenn er sagt: „Das Wollen liegt bei mir; aber das Verwirklichen des Guten finde ich nicht" (Römer 7,18).

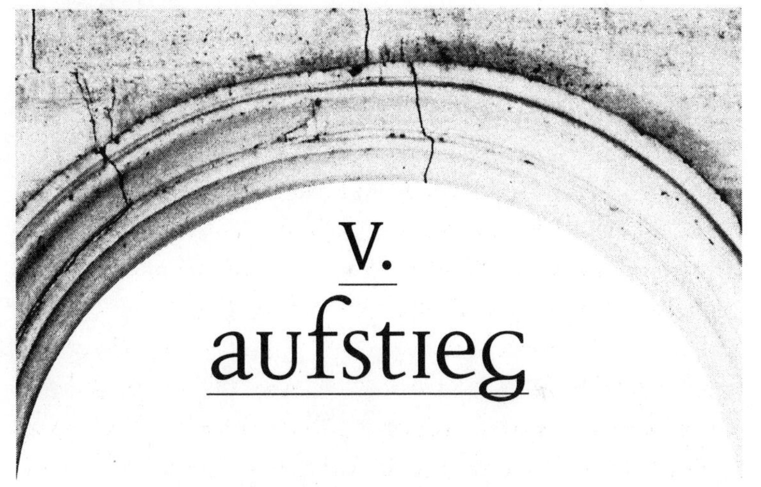

V.
aufstieg

„Wer ist imstande, mein Gott,
sich von den armseligen Weisen, dich zu lieben,
frei zu machen, wenn du ihn nicht selbst zu dir erhebst
in der Reinheit der Liebe? Wie könnte sich der Mensch,
erzeugt und geboren in Armseligkeit, zu dir erheben,
wenn du, Herr, ihn nicht an dich ziehen würdest?“
(Johannes vom Kreuz)

Freiheit um Gottes willen

~ Hildegard von Bingen
Gottes Werkstück

„Im Schatten deiner Flügel will ich jubeln: Dir hanget meine Seele an; deine Rechte hielt mich aufrecht“ (Psalm 62,8–9). Das soll heißen und will so aufgenommen werden: Unter deinem Schutz und Schirm, o Gott, will ich mich erfreuen, wenn ich von der Schwere der Sünden befreit sein werde. Meine Seele wird sich danach sehnen, mit guten Werken zu dir zu kommen. Das hohe Seufzen reißt mich zu dir hin und ruft mich unter die Macht deiner Kraft, auf dass ich sicher sein möge vor meinen Feinden. Denn ich bin ein Werkstück, das du gewirkt hast, weil du mich vor dem Ursprung der Tage in deiner Bestimmung gehalten; denn du hast mich so geschaffen, dass alle Schöpfung mir zu Gebote stehe. Und da du mich so geschaffen, hast du mir auch die Gabe gegeben, dir gemäß zu wirken; warst du es doch, der mich gemacht hat. Daher bin ich dein.

~ Bonaventura
Feuriges Gebet

„Selig der Mann, dem Hilfe kommt von dir; er hat bei sich beschlossen, durchs Tränental hinauszusteigen zum Orte, den er sich erwählt“ (Psalm 83,6f.). Da die Seligkeit nichts anderes ist als der Genuss des höchsten Gutes, dieses aber über uns erhaben ist, so kann nur der selig werden, der über sich selbst hinaussteigt, nicht dem Leibe, sondern dem Herzen nach. Über uns selbst aber können wir nur erhoben werden durch eine höhere Kraft, die uns emporzieht. Denn wie sehr auch die Stufen in unserem Inneren wohlgeordnet sein mögen, es nützt nichts, wenn Gottes Hilfe uns nicht zur Seite steht. Die göttliche Hilfe aber begleitet jene, die aus demütigem und andächtigem Herzen bitten; und das heißt, zu ihm aufseufzen in diesem Tränentale, und geschieht durch feuriges Gebet. Das Gebet ist also Mutter und Ursprung aller Seelenerhebung.

~ Hildegard von Bingen
Auf dem Weg zur himmlischen Glückseligkeit

„Der Herr, der Gott, ist meine Kraft. Schnellfüßig macht Er mich gleich Rehen. Auf meine Höhen führt Er mich, siegreich, auf dass ich mein Zitherspiel ertönen lasse“ (Habakuk 3,19). Was so zu verstehen ist: Gott, der mich erschaffen, der wie ein Herr Seine Gewalt über mich hat, ist auch meine Kraft, weil ich ohne Ihn nichts Gutes zu tun vermag, weil ich nur durch Ihn den lebendigen Geist habe, durch den ich lebe und bewegt werde, durch den ich alle meine Wege kennenlerne. Daher lenkt auch dieser Gott und Herr, wenn ich Ihn wahrhaft anrufe, meine Schritte auf den Schwung Seiner Gebote, so wie ein Hirsch sich beeilt, wenn er sich nach der Quelle sehnt, und so führt Er mich auf jene Höhe, die Er mir in Seinen Geboten errichtet hat, und unterwirft die irdische Begehrlichkeit im Sieg der Stärke, sodass ich Ihm unendlich Preis sagen darf, wenn ich zur himmlischen Glückseligkeit gelangt sein werde.

~ Benedikt von Nursia
Jakobsleiter

Brüder, die göttliche Schrift ruft uns zu: „Jeder, der sich erhöht, wird erniedrigt, und wer sich erniedrigt, wird erhöht werden." Mit diesen Worten zeigt uns die Schrift, dass jede Erhöhung eine Art Stolz ist. Davor hütet sich der Prophet, wie seine Worte zeigen: „Herr, mein Herz ist nicht stolz, meine Augen blicken nicht überheblich. Ich habe keine großartigen Pläne und befasse mich nicht mit Dingen, die mir zu hoch und zu wunderbar sind. Aber was geschieht, wenn meine innere Haltung nicht demütig ist, wenn ich meine Seele stolz werden lasse? Dann behandelst du meine Seele, wie man ein Kind behandelt, das man von der Mutterbrust wegnimmt."
Brüder, wenn wir den höchsten Gipfel der Erniedrigung erreichen und rasch zu dieser Erhöhung im Himmel gelangen wollen, zu der man durch die Erniedrigung in diesem Leben aufsteigt, dann müssen wir durch unsere aufsteigenden Taten jene Leiter errichten, die dem Jakob im Traum erschien und auf der er die Engel herab- und hinaufsteigen sah. Dieses Herab- und Hinaufsteigen wird von uns ganz sicher nur so verstanden, als dass man durch Erhöhung herab- und durch Erniedrigung hinaufsteigt. Die aufgerichtete Leiter ist unser irdisches Leben, das der Herr himmelwärts aufrichtet, wenn unser Herz demü-

tig geworden ist. Die Holme der Leiter deuten wir auf unseren Leib und unsere Seele. In diese Holme hat der göttliche Ruf die verschiedenen Stufen der Demut und der Zucht eingefügt, die wir ersteigen sollen.

Auf der ersten Stufe der Demut stellt sich der Mensch immer die Gottesfurcht vor Augen und flieht gar sehr das Vergessen. Immer denkt er an alle Weisungen Gottes, und immer erwägt er in seinem Herzen, wie das Feuer der Hölle die Gottesverächter wegen der Sünden brennt, dass aber auch das ewige Leben den Gottesfürchtigen bereitet ist. (...)
Auf der zweiten Stufe der Demut liebt der Mönch seinen eignen Willen nicht und findet keinen Gefallen daran, seine Wünsche zu erfüllen, sondern richtet sich in seinem Tun nach dem Wort des Herrn, der sagt: „Ich bin nicht gekommen, um meinen Willen zu tun, sondern den Willen dessen, der mich gesandt hat."

Thomas von Kempen
Selbstvergessen

Herr, ich bedarf noch größerer Gnade, wenn ich dahin kommen soll, dass mir niemand und kein Geschöpf ein Hindernis sein kann. Denn solange mich irgendetwas zurückhält, kann ich mich nicht frei zu dir erheben.
Sich frei zu dir emporzuschwingen wünschte der Psalmist, als er sprach: „Wer gibt mir Flügel gleich der Taube, und ich werde

auffliegen und Ruhe finden" (Psalm 54,7). Was ist ruhiger als das Auge der Einfalt? Und was freier als ein Herz, das auf Erden nichts mehr begehrt?

~

Man muss über alles Erschaffene hinausgehen, sich selbst ganz vergessen, in diesem Entrücktsein des Geistes verharren und erkennen, dass du, der Schöpfer aller Dinge, unvergleichlich höher stehst als die Geschöpfe. Wer sich noch nicht von allen Geschöpfen losgemacht hat, kann nicht frei nach dem Göttlichen streben.
Darum gibt es so wenige beschauliche Menschen, weil nur wenige es verstehen, sich vom Vergänglichen, von den Geschöpfen vollständig loszusagen. Dazu bedarf es großer Gnade, welche die Seele erhebt und über sich selbst hinausführt.

~

Hat der Mensch diese Höhe noch nicht erreicht, ist er noch nicht von allen Geschöpfen frei und eins mit Gott, so hat alles, was er weiß und besitzt, nur geringen Wert. Der wird noch lange klein bleiben und am Boden kleben, der irgendetwas schätzt außer dem einen unermesslichen, ewigen Gott. Alles, was nicht Gott ist, ist nichts und muss für nichts gehalten werden.

~ Johannes vom Kreuz
Stufenweise

Will die Seele in diesem Leben zur Vereinigung mit jenem höchsten Gut gelangen, dann muss sie stufenweise hinweggehen über alle Erwägungen, Bilder und Eindrücke, da sie ja in keinem Ähnlichkeitsverhältnis zu Gott, ihrem Ziele, stehen, zu dem sie doch strebt.

~ Bernhard von Clairvaux
Erhobenes Haupt

Auf drei Weisen erhebt der Herr unser Haupt: indem er nämlich den Geist über die irdischen Gesinnungen erhebt, sodass wir in der Hoffnung auf das Himmlische das Vergängliche verachten; indem er göttliches Wissen verleiht, sodass wir ein Wissen erlangen von den Gütern, die in dieser Zeit unsichtbar sind; und indem er zur Liebe der himmlischen Güter emporhebt, sodass wir, im Fleische lebend, auch das Fleisch selbst durch die Erhabenheit der göttlichen Liebe überschreiten.

~ Thomas Merton
Angenehme Betäubung

Der Mensch ist geschaffen für die höchste Tätigkeit, und dies ist die Ruhe. Diese Tätigkeit, nämlich die Beschauung, wohnt in uns und übersteigt die Ebene der Sinne und des begrifflichen

Denkens. Das Schuldgefühl des Menschen vor seiner Unfähigkeit gegenüber dieser inneren Tätigkeit, welche den eigentlichen Grund seines Daseins bildet, ist eben das, was ihn dazu treibt, im äußeren Wechsel und Streben das Vergessen zu suchen. Die Unfähigkeit zur göttlichen Tätigkeit, die allein seiner Seele genügen kann, bewirkt, dass sich der gefallene Mensch auf die äußeren Dinge stürzt, nicht so sehr um dieser selbst als um der Geschäftigkeit willen, die seinen Geist angenehm betäubt. Er will einfach mit Kleinigkeiten beschäftigt sein; seine Beschäftigung dient ihm als Betäubungsmittel. Es wird nicht die ganze Mühsal des Denkens in ihm ertöten; aber wenigstens wird es dazu beitragen, das Bewusstsein dessen, was er ist, wie auch sein tiefstes Ungenügen zu betäuben.

¶ *Die Liebe ist schnell, aufrichtig, fromm, gütig, lieblich und anmutig, stark, geduldig, treu, klug, langmütig, standhaft und niemals selbstsüchtig. Denn sobald jemand sich selbst sucht, da ist die Liebe zu Ende.* Thomas von Kempen ¶

~ Johannes Tauler
Frieden haben

„Steh auf, Jerusalem, und werde erleuchtet!" (Jesaja 60,1). (...) Der Mensch muss aufstehen von allem, was nicht Gott ist, von sich selbst und von allen Kreaturen. Und von diesem Aufstehen wird der Grund berührt mit einem geschwinden Begehren, einem Entblößen und Entäußern von aller Ungleichheit, und je stärker dies ist oder je länger es dauert, umso mehr wächst das Begehren und geht höher über sich hinaus und geht oft bei dem Berühren des bloßen Grundes durch Fleisch und Blut und durch das Mark. Diesem Berühren aber wird begegnet oder gefolgt auf zweierlei Weise von zweierlei Leuten.

Die Ersten kommen mit ihrer natürlichen Behändigkeit und mit vernünftigen Vorstellungen und mit hohen Dingen, und damit verwirren sie diesen Grund. Und das Begehren stillen sie damit, dass sie diese Dinge hören und verstehen wollen, und darin finden sie großen Frieden und wähnen in den Werken vernünftiger Vorstellungen ein Jerusalem zu sein und Frieden zu haben. Einige wollen auch in ihren eigenen Vorsätzen und Weisen, sei es im Gebet und in Betrachtungen oder in dem, was sie selbst anstreben oder was sie andere Leute tun sehen, ihren Grund bereiten und darin den Frieden haben. Und so dünkt sie denn, sie seien gänzlich ein Jerusalem geworden und haben in diesen Weisen und Werken großen Frieden, und zwar nirgends anders als in ihren Weisen und Vorsätzen. Dass dieser Friede falsch ist, kann man daran merken, dass sie bei ihren Gebrechen hier verbleiben, es sei Hoffart oder Lust des Leibes, des Fleisches oder Befriedigung der Sinne oder an Kreaturen und Argwohn im Urteil. (...) Die anderen aber sind edle Menschen, die stehen auf in der Wahrheit, und davon werden sie erleuchtet. Sie lassen Gott ihren Grund bereiten und lassen sich völlig Gott und verlassen das Ihre in allem und behalten in keinen Dingen etwas für sich, weder in Werken noch in Weisen, in Tun noch in Lassen, weder so noch so, weder in Lieb noch in Leid.

mit meinem Gott überspringe ich Mauern

~ Thomas Merton
Der Glaube übersteigt Grenzen

Durch die Gabe des Glaubens kommen wir Gott nahe, treten wir im Dunkeln in Berührung mit seinem Wesen und seiner Wirklichkeit; denn nichts, was für unsere Sinne und unseren Verstand zugänglich und fassbar ist, vermag sein Wesen als solches zu begreifen. Der Glaube jedoch übersteigt mühelos diese Grenzen, da sich Gott selbst uns offenbart.

~ Augustinus
Freier Geist

Denn wer bin ich und wie bin ich? Wie viel Böses habe ich nicht in Werken oder, wenn nicht in Werken, so mit Worten oder, wenn auch nicht in Worten, so mit meinem Willen getan? Du aber, o Herr, bist gut und barmherzig, du hast in die Tiefe meines Todes geschaut und mit deiner Rechten aus meines Herzens Grunde den Schlamm des Verderbens herausgeschöpft. Dies ist aber nichts anderes als: nicht mehr wollen, was ich will, und wollen, was du willst. Aber wo war denn in so langen Jahren mein freier Wille, und aus welcher tiefen und geheimnisvollen

Verborgenheit wurde er jetzt in einem Augenblicke hervorgezogen, auf dass ich meinen Nacken unter dein sanftes Joch beugte und meine Schultern unter deine leichte Bürde, Jesus Christus, „mein Helfer und mein Erlöser"? Wie süß wurde es mir plötzlich, die Süßigkeiten nichtiger Dinge zu entbehren; und wenn ich sonst ihren Verlust gefürchtet hatte, so war ich jetzt froh, ihrer ledig zu sein. Denn du nahmst sie von mir, du wahre und höchste Süßigkeit, du nahmst sie hinweg von mir und zogest an ihrer Stelle ein, du süßer denn alle Lust, wenn auch nicht für Fleisch und Blut, du heller denn jedes Licht, aber innerlicher als das verborgenste Geheimnis, du erhaben über jegliche Ehre, aber nicht für die, die sich selbst erhaben dünken. Mein Geist war jetzt frei von den verzehrenden Sorgen des Ehrgeizes und der Gewinnsucht, des Wälzens und Scharrens im Schlamme der sinnlichen Lust; und ich plauderte mit dir, meinem Lichte und meinem Reichtum und meinem Heile, mit dir, meinem Herrn und Gott.

~ Johannes vom Kreuz
Himmelsreise

Jäh durch Liebe aufgeschwungen
und von Hoffnung nicht getrogen,
bin ich hoch hinausgeflogen,
und das Flugziel schien errungen.

Dass ich dieses Ziel erränge,
göttlicher Entzückung Höhe,

schied ich aus der Sicht und Nähe,
durch die jeder Flug misslänge,
wie in Träumen aufgeschwungen
und dann doch im Flug betrogen.
Liebe war so hoch geflogen,
bis das höchste Ziel errungen.

Als ich höher aufgestiegen,
schwand das Licht am Horizonte,
und was ich erzwingen konnte,
blieb vor mir im Dunkeln liegen.
Doch mit Lieb' emporgedrungen,
blind, im Dunkel, hoch erhoben,
so sehr stieg ich an nach oben,
dass ich höchstes Ziel errungen.

Und je höher ich gekommen,
schnellend mit erhabnem Satze,
hab ich mich auf niederm Platze
umso ärmer wahrgenommen.
Und ich sprach: Nichts ward errungen.
Abwärts stürzte ich von droben
und war doch so hoch schon oben,
dass ich höchstes Ziel erzwungen.

Auf die wundersame Weise
ward ein Flug wie tausend Flüge,
weil die Hoffnung, die nichts trüge,
stets vollbringt die Himmelsreise.

Ich erhoffte, was errungen,
musst im Hoffen nicht versagen,
dann ward ich so hoch getragen,
dass ich höchstes Ziel erschwungen.

~ Johannes Tauler
Gott ist nichts als Leben, Wesen und Wirken

Als St. Paulus nichts sah, da sah er Gott. Das ist auch die Ursache, dass Elias den Mantel vor die Augen nahm, als der Herr kam. Hier werden alle starken Fesseln zerbrochen. Alles, worauf der Geist rasten möchte, all das muss hier fort. Und wenn alle diese Formen entwerden, dann wird der Mensch in einem Blick überformt. Und so musst du vorwärtsschreiten. Darum spricht der himmlische Vater zu ihm: „Du sollst mich Vater heißen und sollst nicht aufhören einzugehen", stets vorwärts eingehen, je näher, desto tiefer versinken in den unerkennbaren und unnennbaren Abgrund, über alle Weisen, Bilder und Formen, über alle Kräfte sich selbst verlieren und sich völlig hierin entbilden, so bleibt in dieser Verlorenheit nichts als ein Grund, der wesentlich auf sich selbst steht, ein Wesen, ein Leben, ein Überall. Aus diesem heraus kann man sagen, man werde erkenntnislos, lieblos, wirkungslos und geistlos. Das geschieht nicht aus natürlicher Eigenschaft, sondern durch die Überformung, die der Gottesgeist dem geschaffenen Geist aus seiner freien Güte und aus der unergründlichen Verlorenheit und unergründlichen Gelassenheit des geschaffenen Geistes gegeben hat. Von diesen Leuten kann man wohl sagen, dass Gott sich in ihnen erkenne, ließe und genieße. Denn er ist nichts als Leben, Wesen und Wirken.

~ Johannes vom Kreuz
Heilbringende Nacht

Diese heilbringende Nacht verdunkelt den Geist nur, um ihm alle Dinge zu erhellen; sie demütigt und verelendet ihn nur, um ihn aufzurichten und hoch zu erheben; sie macht ihn arm und leer von allem natürlichen Besitz und Anhang, nur damit er in göttlicher Unbegrenztheit alles Himmlische und Irdische genießen und verkosten kann, mit der Freiheit des unbesonderten Geistes alles umspielend. Die Elemente, die sich allen natürlichen Wesen, allen zusammengesetzten Körpern mitteilen, wollen frei sein von jeder Besonderheit an Farbe, Duft und Geschmack; denn nur so können sie mit jedem Geschmack, mit allen Düften und Farben wetteifern. Nicht anders muss der Geist einfach sein und rein und entblößt von allen Weisen natürlicher Neigung, vorübergehender wie eingefleischter; denn nur so kann er frei in der Weise des Geistes Gemeinschaft pflegen mit der Ewigen Weisheit, die dem geläuterten alle Köstlichkeiten aller Dinge zu schmecken gibt in einer Weise der Auserwählung. Und ohne jene Läuterung kann er unmöglich die Fülle geistiger Köstlichkeiten aufnehmen.

¶ *Wie nämlich der Leib des Menschen das Herz an Größe übertrifft, so sind auch die Kräfte der Seele gewaltiger als die des Körpers, und wie das Herz des Menschen im Körper verborgen ruht, so ist auch der Körper von den Kräften der Seele umgeben, da diese sich über den gesamten Erdkreis hin erstrecken.* Hildegard von Bingen ¶

Thomas von Kempen
Liebe

Die Liebe will frei sein, von allem Weltsinn fern, damit ihr innerer Blick nicht behindert, durch keinen zeitlichen Vorteil gefesselt, durch keinen Nachteil niedergebeugt werde. ¶ *Nichts ist süßer als die Liebe, nichts stärker, nichts erhabener, nichts umfassender, nichts angenehmer, nichts vollkommener und edler im Himmel und auf Erden, weil sie aus Gott geboren ist und über allem Geschaffenen nur in Gott ihre Ruhe finden kann.* ¶ Der Liebende fliegt, läuft und jubelt; er ist froh und lässt sich nicht halten. Er gibt alles für alles, und er hat alles in allem, weil er über allem in dem einen Allerhöchsten ruht, aus dem alles Gute quillt und hervorgeht. Ihn kümmern nicht die Gaben, er sieht vielmehr hinter allem Guten den Spender.

Die Liebe kennt kein Maß, sondern gerät über jedes Maß hinaus in Glut. Die Liebe fühlt keine Last, sie achtet keine Mühe, sie will mehr, als sie vermag, schützt keine Unmöglichkeit vor, weil sie glaubt, alles sei ihr möglich und gestattet. Sie hat Kraft zu allem; vieles vollbringt und führt sie aus, wo der Nichtliebende versagt und erliegt. Die Liebe wacht, und selbst im Schlafe schläft sie nicht. In der Ermüdung wird sie nicht matt, in der Not fühlt sie sich nicht bedrängt, im Schrecken nicht verwirrt. Wie eine lebendige Flamme und brennende Fackel drängt sie nach oben und bricht überall sicher durch.

~

Wer liebt, der weiß, was dies Wort besagt. Ein lauter Ruf in Gottes Ohr ist der glühende Sehnsuchtsruf der Seele: mein Gott, meine Liebe! Du bist ganz mein, ich ganz dein. Lass mich in der Liebe wachsen, damit ich tief im Herzen verkosten lerne, wie süß es ist, zu lieben, ganz in der Liebe aufzugehen und in ihr zu versinken. Singen möchte ich das Lied der Liebe, und dir, meinem Geliebten, zur Höhe folgen; in deinem Lob geht meine Seele auf, jubelnd vor Liebe.

Lieben möchte ich dich mehr als mich und mich nur deinetwegen und in dir alle, die dich wahrhaft lieben, wie es das Gesetz der Liebe gebietet, das aus dir leuchtet.

Die Liebe ist schnell, aufrichtig, fromm, gütig, lieblich und anmutig, stark, geduldig, treu, klug, langmütig, standhaft und niemals selbstsüchtig. Denn sobald jemand sich selbst sucht, da ist die Liebe zu Ende.

auf dem weg in die eigene mitte

Für Menschen, die den Reichtum der christlichen Tradition entdecken möchten, weil sie an ihrer persönlichen, spirituellen Entwicklung interessiert sind, wollen die folgenden Übungen Orientierungshilfen sein. Durch konkretes Tun sammeln Sie Erfahrungen mit der Lebensweisheit der Klöster, um so einen Weg in die eigene Mitte zu gehen.
Diese Übungen sind schlicht und einfach. Sie ertasten von innen her, wie sich das Leben anfühlt, wenn bewusst Unterbrechungen im Alltag als Freiräume der Begegnung mit sich, mit anderen Menschen, mit Gott eingebaut werden. Sie können im gewohnten Lebensumfeld eine Hilfe im Alltag sein. Sie eignen sich aber auch dazu, Sie während eines Klosteraufenthalts zu begleiten, sei es der Urlaub im Kloster, seien dies Tage des Mitlebens mit einer Ordensgemeinschaft oder ein Bildungs- oder Exerzitienangebot, das Sie dort wahrnehmen möchten.

Spiritualität ist etwas für den ganzen Menschen und für den Alltag. Deshalb sind die Übungen eingeteilt in die vier Kapitel: Körper-Sein, Ich-Sein, Mensch-Sein mit anderen Menschen und Mit-Gott-Sein. Diese vier Aspekte des Lebens gehören zusammen. Sie lassen sich nicht isoliert voneinander verstehen und erst recht nicht isoliert voneinander als unabhängige Bereiche abhandeln. Sie sind an jenen vier Segmenten orientiert, die die Weltgesundheitsorganisation WHO als Elemente einer ganzheitlich verstanden Gesundheit definierte: „Gesundheit ist

der Zustand vollständigen körperlichen, seelischen, geistigen und sozialen Wohlbefindens."
Die Übungen laden Sie ein, sich das aus jedem Kapitel herauszusuchen, was Ihnen in Ihrer individuellen Situation *jetzt* guttun würde. Dabei meint *„guttun"* kein oberflächliches Wellnessprogramm. *Guttun* soll und darf auch heißen: das, was mich herausfordert; das, was mich in meiner Selbstzufriedenheit stört; das, was mich aufmerksam macht auf nicht gelebte oder nicht geliebte Anteile meiner Leiblichkeit, meiner Biografie, meiner Einstellungen und Überzeugungen, meiner geistlichen Haltungen, meiner Beziehungen.
Dabei haben die Übungen grundsätzlich den Ansatz, den Menschen als Geschöpf zu sehen, als Teil der ganzen Schöpfung, die jeden und jede eingliedert und verwurzelt in das Werden, Blühen, Reifen und Vergehen allen Geschaffenseins und die aber zugleich jeden und jede als ein geistbegabtes Wesen sieht.

Die Sehnsüchte der Menschen von heute dürfen nicht in die Irre laufen, nicht zugestopft werden mit Ersatzbefriedigungen, unkreativen Ablenkungen, banalem Vergnügen. Die Tauglichkeit lebensfördernder Klosterregeln hat sich durch Jahrhunderte erwiesen. Sie sollen sich nicht als Sonderwissen hinter Klostermauern verstecken, sondern dazu beitragen, dass Sie in Ihrem Alltag bewusst, geist- und weisheitserfüllt, das heißt spirituell und damit besser leben können.

ÜBUNGEN

KÖRPER-SEIN

Hinein und Hinaus

Denken Sie einmal über Ihr Essverhalten nach. Was nehmen Sie tagtäglich zu sich? Wann essen Sie? Haben Sie dann tatsächlich Hunger, oder essen Sie auch, um Stress zu bewältigen oder sich selbst etwas Gutes zu tun? Verdecken Sie damit manchmal, dass Sie sich in Ihrer beruflichen oder privaten Situation unwohl fühlen oder dass Sie spüren, dass Sie zu wenig Anerkennung für Ihre Leistung bekommen oder sich übersehen fühlen? Helfen Ihnen Schokolade, Zigaretten oder Alkohol zu verdrängen und zu vergessen, was besser nicht verdrängt oder vergessen werden sollte? Horchen Sie in sich hinein: Ist Ihnen einiges davon zu viel? Zu viel Alkohol, zu viel Süßes, zu viele Medikamente? Fürchten Sie, dass Sie von diesen „Belohnungen" abhängig geworden sind? Achten Sie auf Ihr Essverhalten und auf Ihre Verdauung: Wo sind Sie maßlos, wo kommen Sie zu kurz? Misten Sie die Angewohnheiten und Ersatzhandlungen aus, die Ihnen im Grunde nicht guttun und die Ihren Körper und Ihre Seele verstopfen.

Wenn Sie spüren, dass Sie zu viel Körpergewicht mit sich herumschleppen, überlegen Sie, wie Sie Ihr Ess- und Bewegungsverhalten ein wenig verändern können, um nur ein (!) Kilo loszuwerden. Verabreden Sie mit sich selbst eine Zeitspanne, während der Sie versuchen, dem Vorsatz treu zu sein, Ihr Gewicht um dieses Kilo zu reduzieren: drei Tage, sieben

Tage, zwei Wochen. Vielleicht fangen Sie auch zunächst einmal mit einem Tag an, an dem Sie nur das essen, was Sie sich vorgenommen haben. Überfordern Sie sich nicht, aber seien Sie konsequent. Auch geringe Veränderungen können viel bewirken.

Wenn Sie spüren, dass Ihr Essverhalten von Stress oder von zu hektischer Planung diktiert ist – zu hastig, zu viel, zu wenig, zu unregelmäßig, zu spät, zu fett, zu süß –, versuchen Sie, eines dieser Elemente so zu ändern, dass Sie einmal in der Woche etwas anders machen. Essen Sie an einem Tag zusätzlich Obst zum Fastfood. Essen Sie einmal in der Woche an einer anderen Stelle als am Schreibtisch. Bereiten Sie einmal zu Hause etwas vor, statt in der Mittagspause oder vor der Arbeit beim Bäcker noch schnell etwas zu kaufen. Verabreden Sie einmal in der Woche mit sich selbst eine Zeit, die Sie auch in Ihren Terminkalender eintragen, zu der Sie bewusst essen, was Ihnen guttut und schmeckt.

Spannungen loswerden – Bewegtsein zulassen

Wenn Sie spüren, dass Sie in einen unguten Stress geraten und es Ihnen möglich ist, ein paar Minuten allein zu sein, versuchen Sie, Ihre Anspannung abzustreifen und Ihr inneres Gleichgewicht wiederzufinden. Legen Sie beide Händen flach auf die Brust, sodass sich die Fingerspitzen gerade noch berühren, und streichen Sie Ihre Spannung über Brust, Bauch, Hüften, Po und Oberschenkel nach außen, zur Seite oder nach unten weg. Atmen Sie dabei hörbar aus. Zum Schluss beschreiben Sie mit beiden Armen einen großen Kreis und legen Ihre Hände abschließend auf den Bauch. Mit dieser Bewegung sammeln Sie Ihre positive Energie und Konzentration ein.

Wenn sich die Spannung im Rücken oder im Kopf festsetzt, legen Sie die Fingerspitzen beidseitig leicht unter Ihre Wangenknochen, vor die Ohren und hinter das Kiefergelenk und kreisen Sie sanft, bis Sie gähnen möchten. Geben Sie diesem Impuls nach, gähnen Sie ausgiebig, und lassen Sie im Gähnen Ihre Spannung heraus. Schütteln Sie locker den Kopf und erteilen Sie so Ihrem Stress eine Absage.

Überlegen Sie, ob Methoden aus der Weisheit Asiens Ihnen helfen könnten, besser mit Stress, Überanstrengung oder übersteigertem Leistungsverhalten umzugehen. Schauen Sie sich bei den Anbietern in Ihrer Nähe um, ob Sie Angebote finden, die Sie zur Langsamkeit, zur Konzentration und zur Hingabe an ein Tun oder zum Zulassen hinführen, z. B. Shiatsu oder Qigong als Elemente der Traditionellen Chinesischen Medizin. Entfalten Sie als Gegengewicht zu einer belastenden Inanspruchnahme am Arbeitsplatz oder in der Familie Ihre Fantasie, Ihre Aufmerksamkeit und Ihre Sensibilität in Ikebana oder Kalligrafie. Lassen Sie Menschen behutsam mit Ihrem Körper arbeiten mit Methoden der sanften Berührung, bei denen Sie eine befreiende Passivität lernen.

Wenn Ihnen körperliche Aktivität hilft, den Kopf und das Herz frei zu bekommen, suchen Sie sich eine Bewegungsform, die Sie mögen – schwimmen, joggen, spazieren gehen, Tennis spielen, Gymnastik oder Yoga – und gehen Sie dieser Bewegung nach, so, wie es sich für Sie gut einrichten lässt. Dabei kommt es allein auf die Konsequenz an, mit der Sie sich dafür Zeit nehmen, diesen Termin als feste Verabredung mit sich selbst einplanen und dann dabei bleiben. Auch hier gilt: Wenig ist mehr: Schon die halbe Stunde Spazierengehen nach der

Arbeit oder einmal in der Woche Schwimmen ist ein großer Schritt nach vorne.

ICH-SEIN

Ein Gegenüber haben

Legen Sie sich ein Zitatenbuch an, in dem Sie „Fundstücke" sammeln, die Ihnen als Wegmarken zur inneren Freiheit hilfreich sind. Oder beginnen Sie, Tagebuch zu schreiben – nicht für immer, aber für jetzt, nur so lange, wie Sie es brauchen. Engen Sie sich dabei aber nicht durch übertriebene Erwartungen an sich selbst ein.

Der Weisheit eines großen Papstes folgen

Lesen Sie sich selbst die „10 Gebote der Gelassenheit" des großen Papstes Johannes XXIII. (1881 bis 1963) vor, die sich verteilt in seinen Briefen finden. Seien Sie aufmerksam auf das, was Ihnen spontan zusagt, und nehmen Sie es als persönlichen Merksatz für diesen Tag. Wenn es Ihnen hilft, schreiben Sie Ihre persönliche Gelassenheitsweisheit auf einen Zettel, in den Terminkalender, auf den Rand der Tageszeitung. Überprüfen Sie am Abend, ob Sie Ihrem Lieblings-Tages-Satz folgen konnten, und belohnen sich dafür, wenn es Ihnen gelungen ist, auch wenn es vielleicht nicht in jeder Hinsicht perfekt war. Dehnen Sie diese Gelassenheitsübung auf drei oder sieben Tage aus, und beobachten Sie, was Ihnen zur inneren Freiheit verhilft. Bauen Sie Ihre Sätze zu Geschichten aus, in denen Sie sich etwas über sich selbst erzählen, und machen sie diese Übung zu Ihrem persönlichen „Gelassenheitszauber".

Die 10 Gebote der Gelassenheit nach Johannes XXIII.

Nur für heute werde ich mich bemühen, den Tag zu erleben, ohne das Problem meines Lebens auf einmal lösen zu wollen.

Nur für heute werde ich mich den Gegebenheiten anpassen, ohne zu verlangen, dass sich die Gegebenheiten an meine Wünsche anpassen.

Nur für heute werde ich etwas tun, wozu ich eigentlich keine Lust habe.

Nur für heute werde ich nicht danach streben, die anderen zu kritisieren oder zu verbessern – nur mich selbst.

Nur für heute werde ich eine gute Tat vollbringen.

Nur für heute werde ich zehn Minuten meiner Zeit einem guten Buch widmen.

Nur für heute werde ich keine Angst haben.

Nur für heute werde ich ein genaues Programm aufstellen. Vielleicht halte ich mich nicht genau daran, aber ich werde es aufsetzen. Und ich werde mich vor zwei Übeln hüten: Vor der Hetze und der Unentschlossenheit.

Nur für heute werde ich glauben – selbst wenn die Umstände das Gegenteil zeigen sollten –, dass Gott für mich da ist, als gäbe es sonst niemanden auf der Welt. Ich will mich nicht entmutigen lassen durch den Gedanken, ich müsste dies alles mein ganzes Leben lang durchhalten.

Heute ist es mir gegeben, das Gute während zwölf Stunden zu wirken.

Brandgefahr

Achten Sie auf die ersten Anzeichen des Ausgebranntseins wie ständige Müdigkeit, Schlaflosigkeit, Überreiztsein, Verspannungen, Überdruss, Appetitlosigkeit, das Gefühl: „Ich kann nicht mehr und will nicht mehr. Je mehr ich mich anstrenge, desto sinnloser wird alles". Scheuen Sie sich nicht, sich zuzugestehen, dass Sie unter einem Burnout-Syndrom leiden könnten. Informieren Sie sich im Internet, in Printmedien, bei Ihrer Ärztin/Ihrem Arzt oder einer Beratungspraxis. Fragen Sie Freunde/Freundinnen, wie Sie auf sie wirken, und seien Sie ehrlich zu sich selbst. Es ist keine Schande, ausgelaugt zu sein und Erholung zu brauchen. Überlegen Sie, wem Sie sich anvertrauen könnten, was Sie tun könnten, um von dieser Belastung wegzukommen, und tun Sie, was möglich ist.

Aufgeräumter leben

In manchem Haushalt – dem Seelenhaushalt wie dem konkreten hinter der Wohnungstür – muss dringend aufgeräumt und entrümpelt werden, um durchatmen zu können.
Wenn es Ihnen zusagt, schauen Sie einmal in Ratgeberbücher oder ins Internet und suchen Sie unter Stichwörtern wie *Simplify your life* (mit einfachen Mitteln das Leben vereinfachen)

oder *Downshifting* (Aktivitäten herunterfahren, sich nicht ständig wie ein Hamster im Laufrad hetzen/hetzen lassen, geruhsamer leben).

Mit ein paar Handgriffen können Sie schon die ersten Ergebnisse eines inneren und äußeren Frei(er)werdens erzielen:

- Schauen Sie Ihre Wohnung, Ihr Haus durch und verschaffen Sie sich einen detaillierten Überblick: Wo muss aufgeräumt und entrümpelt werden? Denken Sie auch an die Garage, den Keller und das Gartenhaus. Wenn Ihnen dieser Schritt zu groß ist, nehmen Sie sich ein Stockwerk oder ein Zimmer vor. Wenn das noch zu viel ist, konzentrieren Sie sich auf einen Schrank (zu viele Schuhe!), eine Wand (zu viele Bilder!), ein Regalbrett (zu viele Bücher!) oder eine Schublade (zu viel Besteck!). Haben Sie die erste Aufgabe erledigt und noch Reserven, arbeiten Sie weiter, so lange, bis Sie den Eindruck haben: Jetzt kann ich wieder durchatmen. Jetzt sehe ich wieder klar. Jetzt habe ich Freiraum – innerlich und äußerlich. Bringen Sie und halten Sie Ordnung in Ihre/n Besitztümer/n.
- Bringen Sie Ordnung in Ihren Kopf und in Ihren Seelenhaushalt: Welche Haltungen, Hoffnungen, Sorgen, Vorlieben, Angewohnheiten, Einstellungen, Ängste und Verhaltensweisen tun Ihnen und anderen gut, lassen Sie und andere gut leben, schenken Ihnen und anderen Perspektive und Freiheit? Welche tun Ihnen und anderen nicht gut, nehmen Ihnen und anderen die Luft zum Atmen, lassen Sie und andere versteinern, verfetten, langweilig oder abgestumpft werden? Sortieren und gewichten Sie: Wo wollen und können Sie damit beginnen, dem nicht Förderlichen eine Absage zu erteilen, sich von Ver-

drehtem zu verabschieden, etwas Besseres auszuprobieren? Wofür reichen Ihre inneren Kräfte aus? Wer und was könnte Ihnen beim innerlichen Aufräumen und Loslassen und beim Ausprobieren, Üben, Aneignen helfen? Verabreden Sie mit sich selbst einen ersten Schritt. Wenn es Ihnen hilft, suchen Sie sich eine „Befreiungs"-Anwältin/einen „Befreiungs"-Anwalt, die/der mit danach schaut, dass Sie am Ball bleiben und Ihr Ziel erreichen.

- Gehen Sie Ihre Vorräte durch: Badezimmerschrank, Speisevorräte, Geschenkpapierkiste, Schreibtischutensilien. Denken Sie auch an Vorräte im weiteren Sinn: Warum sammle ich Urlaubsfotos, die ich nie wieder anschaue? Warum horte ich Souvenirs aus Beziehungen und Begegnungen, die ich längst ad acta gelegt habe – oder gelegt zu haben glaube? Ordnen Sie Ihre geistigen und materiellen Besitztümer.
- Versuchen Sie Maß zu halten in Ihrem Konsum (materiell und geistig): zu viele Kosmetika, zu viele Zeitschriften, zu viel Fernsehen, zu viel Wein, zu viele Termine, zu viele T-Shirts, zu viele SMS, zu viel Sonnenbank, zu viel Liebeskummer, zu viel von diesem oder jenem. Entsorgen Sie im wahrsten Sinn das Überflüssige: Leben Sie ohne die Sorge um das, was Sie meinen, als sichernden Überfluss haben zu müssen.
- Üben Sie Selbstbeherrschung und Konsequenz: Gehen Sie zum Beispiel bewusst durch ein Kaufhaus, eine Boutique, einen Supermarkt. Schauen Sie sich die Auswahl an Strümpfen und Puddingpulver, Taschen und Hüten, Haarspangen und Duschgel, Uhren und Vasen an. Lassen Sie Ihre Gedanken spielen, nehmen die Dinge, die Ihnen gefallen, geistig in die Hand, und stellen Sie sie entschieden wieder zurück ins Regal.

Sollten Sie auf etwas stoßen, mit dem Sie sich oder anderen eine Freude machen können und wollen, sind Sie allerdings auch so frei und kaufen es.

- Es kann sein, dass Menschen in einem Seelenpanzer stecken, der ihnen Schutz vor zu viel Freiheit bietet. Sie legen sich auf eine unbeirrbare Meinung fest, auf ein felsenfestes Urteil, auf eine unumstößliche Haltung. Nichts soll sie davon abbringen, so und nie anders zu denken, zu wollen, zu sein. In ihrem Roman *Was ich liebte* lässt Siri Hustvedt die Hauptfigur Leo, der seinen Sohn Matt durch einen Unfall verloren hat, sagen: *„Ich war damals wie einer, der in einer schweren Rüstung steckt. Und in dieser Körperfestung lebte ich mit einem einzigen monomanischen Wunsch: Ich lasse mich nicht trösten. So abwegig dieser Wunsch war, er fühlte sich doch wie ein Rettungsanker an, wie der einzige Fetzen Wahrheit, der mir geblieben war."*
- Lassen Sie diese Sätze auf sich wirken. Gehen Sie dem nach, was in Ihnen aufsteigt. Vielleicht spüren Sie einen ähnlichen Seelenpanzer um sich herum, der Sie schützt, aber auch von der Freiheit und Notwendigkeit eines nächsten Schrittes in Ihrer persönlichen Entwicklung abschirmt. Vielleicht möchten Sie schriftlich festhalten, was Sie jetzt bewegt, möchten es aufmalen oder in einer Installation darstellen. Reden Sie mit Ihrer besten Freundin/Ihrem besten Freund, einer Beraterin/einem Berater darüber, und schauen Sie, ob Ihre eigenen und gemeinsamen Erkenntnisse Sie zu einer inneren Befreiung herausfordern.

MIT-MENSCH-SEIN

Großzügigkeit bedeutet Freiheit

- Lernen Sie, mit Unvollkommenheiten und Missgeschicken, die Ihnen selbst zustoßen oder die Sie bei anderen bemerken, zu leben. Ein übersehener Termin, eine verlegte Kinokarte, ein verlorener Schlüssel, ein vergessener Liter Milch sind in der Regel keine Katastrophe, auch wenn sie Krisenstimmung auslösen können. Es kann (fast) immer einen „Plan B" geben, eine neue Chance, einen zweiten Versuch. Wenn ein irreparabler Schaden oder ein schlimmer Nachteil entstanden ist, stehen Sie dazu, zu sich, zu Ihrem Gegenüber, und schauen Sie in die Zukunft: Was lässt sich wie noch retten? Wo muss ich um Verzeihung bitten? Was können wir gemeinsam tun, um weiterzukommen? Wie können wir, wie kann ich kreativ mit dieser Situation umgehen?
- Menschen müssen, dürfen und können in strittigen Fragen nicht immer einer Meinung sein. Wo sich Übereinstimmung erzielen lässt – schön. Wo man gemeinsam einen Kompromiss findet, dem alle, wenn auch mit leichtem Grummeln, das sich aber nach einer Weile legen sollte, zustimmen – schön. Wenn das nicht geht, geht trotzdem oft noch etwas: Prüfen Sie, ob eine Übereinstimmung oder ein Kompromiss überhaupt nötig ist oder ob Sie nicht auch mit den gegensätzlichen Positionen leben können. Stimmen Sie mit Ihrem Gegenüber darin überein, dass jetzt keine Lösung zu finden ist, versuchen Sie, die Situation zunächst einmal zu akzeptieren. Verabreden Sie eine Zeit, zu der Sie sich wieder zusammensetzen und weiterüberlegen, falls das Problem dann noch besteht. Sammeln Sie in

der Zwischenzeit Gelassenheit, Ideen, inneren Freiraum, um bei der Begegnung innerlich freier und beweglicher zu sein.

Bei Gewitterstimmung in der Partnerschaft
Gestehen Sie bei spontanen Konflikten in Ihrer Partnerschaft sich selbst und Ihrem Partner/Ihrer Partnerin Aufregung, Aufgebrachtsein, Nervosität, Ärger, Wut und Angst zu, und warten Sie, bis Sie beide wieder ruhiger geworden sind. Wenn Sie spüren, dass aktuell kein gutes Gespräch möglich ist, führen Sie keines. Sagen Sie, dass Sie nun nicht gut miteinander reden können, und verabreden Sie eine andere Zeit, zu der Sie ruhig und aufmerksam die momentan oder grundlegend schwierigen und schmerzlichen Dinge Ihrer Beziehung miteinander besprechen können.

Bilanzen
- Schreiben Sie auf ein Blatt die Namen der Menschen, die Ihnen im Guten wie im Konflikthaften nahestehen. Zeichnen Sie einen Kreis und teilen Sie jeder Person ein „Tortenstück" dieses Kreises zu, je nach dem Anteil, den der/die Betreffende von Ihrer Energie abzieht. Schauen Sie sich Ihr Bild in Ruhe an. Sind Sie damit einverstanden? Wo sind Sie gefangen in Ansprüchen und Abhängigkeiten? Wo möchten Sie etwas ändern, Ihre Energie anders verteilen, sie abziehen oder stärker hinlenken? Überlegen Sie, mit welcher Veränderung Sie beginnen könnten, welche Unterstützung Sie dazu bräuchten, wie und von wem Sie diese Unterstützung erhalten.
- Versuchen Sie dieselbe Übung, in dem Sie sich die Frage stellen nach der Lebensenergie, die Ihnen aus den Beziehungen

zufließt, die für Sie wichtig sind: Wer hat welchen Anteil an dem Vertrauen, aus dem Sie leben? Wer schenkt Ihnen wie viel Aufmerksamkeit, Zuwendung, aufbauende Kritik, Nähe, Anregung, Bestätigung, Unterstützung? Stimmen in Ihren Beziehungen Geben und Nehmen während eines überschaubaren Zeitraumes, oder sind Sie ungut gebunden von Ihren eigenen oder fremden Erwartungen, Forderungen, Enttäuschungen?

Freihändig leben

- Ordnen Sie Ihr Beziehungsnetz: Welche Freundschaften, Bekanntschaften, welche Adressen von Menschen behalte ich, um nicht alleine sein zu müssen? Welche sollte oder möchte ich beenden, welche endlich loswerden, um frei zu sein für die Beziehungen – auch die zu mir selbst –, die unverzichtbar, tragfähig, gut und heilend sind? Welche neue Beziehung möchte ich beginnen, welche intensivieren, um als Mensch mit anderen Menschen zu wachsen?
- Können Sie Lücken in Ihrem Wissen, in Ihren Fähigkeiten und Fertigkeiten, in Ihrer Arbeit, in Ihrer Motivation, in Ihrer Bildung oder Ausbildung zugeben, oder lassen Sie sich einsperren/sperren Sie sich selbst ein in ein Korsett von Leistung, Allwissenheit, Dominanz, Dauerzuständigkeit, Unfehlbarkeit? Versuchen Sie, sich mit vier Sätzen anzufreunden, wenn Sie sich hier gefangen fühlen: Das kann ich nicht.
  Das weiß ich nicht.
  Das will ich nicht.
  Das muss ich nicht.
  Sagen Sie sie laut vor sich hin, wenn Sie alleine sind, singen Sie sie im Bad vor sich hin. Rufen Sie sie laut in den Garten oder

bei einem Spaziergang, beim Walken oder Joggen in den Wald hinein. Sollten Sie einen dieser Sätze benötigen, um sich von einem übertriebenen Leistungs- oder Anspruchsdenken zu befreien, holen Sie ihn bei passender Gelegenheit aus Ihrem neu erworbenen Widerstandsreservoir heraus und probieren Sie es aus, ihn laut und deutlich zu sagen. Genießen Sie Ihren Mut und Ihre Freiheit des Neinsagens.

- Können Sie sich von Ihrer Schuld, in die Sie Menschen gegenüber geraten sind, lösen, oder hängen Sie an und in Ihrem Versagen fest? Selbst wenn es nicht mehr gelingen kann, Vergebung oder Wiedergutmachung zu erreichen und sich nichts mehr „reparieren" lässt, dürfen Sie versöhnt mit sich und mit anderen leben. Zur Haltung der Freiheit gehört auch das Sich-selbst-vergeben-Können.

MIT-GOTT-SEIN

Sie können sich auf Gott verlassen, wenn Sie sich verändern möchten, um frei zu werden und um andere frei sein zu lassen. Sie können auf ihn vertrauen bei jedem Schritt, den Sie in die Freiheit tun. Er hat jeden und jede ins Leben gerufen und als seine Tochter, seinen Sohn in dieser Freiheit gewollt.

Eine Rose ist eine Rose ist eine Rose

- Eine Rose muss nichts anderes sein als eine Rose. Sie kann sich darauf beschränken, nur das sein zu wollen, was sie ist. Aber das ist sie in Vollendung. Bescheidenheit in diesem Sinn befreit. Versuchen Sie, diese „Rosenhaltung" einzuüben: Wenn Sie hochmütig sind, sind Sie hochmütig; wenn Sie wütend sind, sind Sie wütend; wenn Sie fröhlich sind, sind Sie fröhlich. Seien Sie ganz oder gar nicht hochmütig, wütend, fröhlich – eine Zeit lang! Es tut Ihnen und anderen gut, wenn Sie danach auch wieder damit aufhören können. Ewig schmollen ist kindisch und ein Dauerclown eine unerträgliche Person.

- Lesen Sie den Text aus dem Buch Kohelet und unterstreichen Sie, was Ihnen für heute wichtig und hilfreich ist:
  Alles hat seine Stunde. Für jedes Geschehen unter dem Himmel gibt es eine bestimmte Zeit: eine Zeit zum Gebären und eine Zeit zum Sterben, eine Zeit zum Pflanzen und eine Zeit zum Abernten der Pflanzen, eine Zeit zum Töten und eine Zeit zum Heilen, eine Zeit zum Niederreißen und eine Zeit zum Bauen, eine Zeit zum Weinen und eine Zeit zum Lachen, eine Zeit für die Klage und eine Zeit für den Tanz; eine Zeit zum Steine werfen und eine Zeit zum Steine sammeln, eine Zeit zum Umarmen und eine Zeit, die Umarmung zu lösen, eine Zeit zum Suchen und eine Zeit zum Verlieren, eine Zeit zum Behalten und eine Zeit zum Wegwerfen, eine Zeit zum Zerreißen und eine Zeit zum Zusammennähen, eine Zeit zum Schweigen und eine Zeit zum Reden, eine Zeit zum Lieben und eine Zeit zum Hassen, eine Zeit für den Krieg und eine Zeit für den Frieden. Gott hat das alles zu seiner Zeit auf vollkommene Weise getan. (Kohelet 3,1–8,11)

Die wahre Bedeutung der Dinge erfragen und auf Gott und seinen Geist ausgerichtet sein

Lassen Sie Gott Gott sein. Bauen Sie Gottesbilder, die Ihnen vermittelt wurden, ab, wenn Sie Ihnen nicht guttun. Suchen Sie nach Gottesbildern, die Ihnen etwas erzählen über seine Liebe, über Freiheit, Vergebung und Nähe. Sprechen Sie mit Menschen, die mit Gott Erfahrungen gemacht haben und die Sie auf diesem Weg begleiten können, über Ihre Gottesvorstellungen. Entlasten Sie sich von Gottesvorstellungen, die Sie schwächen oder verängstigen. Suchen Sie nach Wegen, gut und wahrhaftig zu leben und so Gottes Willen zu ergründen.

Alles hängt mit allem zusammen

Gott und die Dinge hängen zusammen. Es gibt nichts, was außerhalb seines Gesichtskreises läge. Versuchen Sie, sich mit der Vorstellung vertraut zu machen, dass Sie interessant sind für Gott in Ihrem Tun und Lassen. Sprechen Sie mit Gott, auch wenn Sie nicht vermuten, dass er zeitnah antwortet. Zeitgleichheit ist eine menschliche Vorstellung. Gott hat Zeit und gibt Ihnen Zeit. Probieren Sie das Leben mit den Dingen dieser Welt aus. Versuchen Sie, tiefer hinein zu hören, was in Ihrer Seele passiert, wenn Sie über Gott, über sich, über die Menschen, die Sie lieben, und über die, die Ihnen unangenehm sind, nachdenken, oder wenn Sie über eine wichtige Entscheidung nachsinnen.

Dankbarkeit als Freiheits- und Lebenskunst

Lassen Sie Dankbarkeit in sich wachsen. Zählen Sie alles auf, wofür Sie dankbar sein könnten. Gehen Sie Ihren Tag durch, und lassen Sie dabei die Kleinigkeiten nicht aus, die so selbstverständlich zu sein scheinen, auch wenn es Ihnen auf den ersten Blick vielleicht merkwürdig vorkommt. Die Sonne geht auf, Sie können die Augen öffnen. Sie sehen, riechen, spüren, haben ein Dach über dem Kopf – Dinge, die für viele nicht selbstverständlich sind. Suchen Sie sich eines dieser Dinge aus und sagen

Sie bewusst *Danke* dafür: Ich bin frei geworden von … Ich bin frei geworden für … Ich lebe. Ich kann mein Leben gestalten. Vielleicht kommen Sie bei weiterem Nachdenken in Gedanken hinein, die Sie zunächst überraschen: Ich habe einen Schicksalsschlag überlebt oder eine Krankheit überwunden – ich bin frei geworden von diesem Schrecken, von dieser Krankheit. Vielleicht können Sie sagen: Es war schrecklich, aber ich bin frei davon geworden, alles haben, alles können zu müssen. Ich konnte das Wesentliche in meinem Leben sehen. Ich darf damit einverstanden sein, dass ich Grenzen habe, dass meine Lebenszeit begrenzt ist. Die Krankheit, der Unfall, die Arbeitslosigkeit, die Trennung haben mir einen Schlüssel in die Hand gegeben, mit dem ich mir mein Leben neu erschließen kann. Es kann ganz neu aus der göttlichen Quelle fließen, in der es entstanden ist. Auch wenn es in der Krise selbst nicht zu sehen ist: Sie birgt in der Regel einen Schatz in sich, eine Veränderungsmöglichkeit zum Guten. Wenn sich eine Tür schließt, öffnet sich eine andere, neue, oft bessere Tür für uns. Hinter dem „engen Tor" der Krise, von dem auch die Bibel weiß, liegt oft ein weites, fruchtbares Land.

QUELLEN

I. Hingabe

Ignatius von Loyola, Reich genug (Ignatius von Loyola, Gründungstexte der Gesellschaft Jesu, übersetzt von Peter Knauer, Deutsche Werksausgabe, Bd. II, Würzburg, Echter 1998, S. 205)

Thomas Merton, Geben, was wir empfangen (Thomas Merton, Verheißungen der Stille, Luzern, Räber-Verlag 1951, S. 144)

Johannes vom Kreuz, Gott überlassen (Johannes vom Kreuz, Habe Gott zum Freund. Gedanken für jeden Tag, ausgewählt von Hanswerner Reißner, Kevelaer, Verlag Butzon und Bercker 1975, S. 180)

Teresa von Avila, Gottes Freiheit (Aloysius Alkofer, Sämtliche Werke der heiligen Theresia von Jesu, 1952–1956, Band 6, S. 147, Kösel-Verlag in der Verlagsgruppe Random House, München)

Meister Eckhart, Gerechter Handel (Meister Eckehart, Deutsche Predigten und Traktate Herausgegeben und übersetzt von Josef Quint © 1977 Carl Hanser Verlag, München, S. 95)

Teresa von Avila, Nada te turbe (Aloysius Alkofer, Sämtliche Werke der heiligen Theresia von Jesu, 1952–1956, Band 5, S. 342, Kösel-Verlag in der Verlagsgruppe Random House, München)

Thomas von Kempen, Freiheit im Lassen (Thomas von Kempen, Nachfolge Christi. Hg. von Adolf Donders © 1968 Butzon & Bercker GmbH, Kevelaer, www.bube.de, S. 194–196)

Meister Eckhart, Gelassen werden (Meister Eckehart, Deutsche Predigten und Traktate Herausgegeben und übersetzt von Josef Quint © 1977 Carl Hanser Verlag, München, S. 215f.)

Thomas von Kempen, Von der vollkommenen Freiheit (Thomas von Kempen, Nachfolge Christi. Hg. von Adolf Donders © 1968 Butzon & Bercker GmbH, Kevelaer, www.bube.de, S. 207f.)

Charles de Foucauld, In deine Hände lege ich meine Seele (aus: Gotteslob, Katholisches Gebet- und Gesangbuch, Ausgabe für das Erzbistum Köln, hg. von den Bischöfen Deutschlands und Österreichs und der Bistümer Bozen-Brixen und Lüttich, Verlag J. P. Bachem, Köln 1975, S. 27)

Johannes vom Kreuz: Mystische Betrachtung II (Johannes vom Kreuz, Die dunkle Nacht der Seele. Sämtliche Dichtungen. Aus dem Spanischen übertragen und eingeleitet von Felix Braun, Salzburg: Otto Müller Verlag 1952, S. 51–53)

Theresia von Jesus, Der himmlische Gärtner (Aloysius Alkofer, Sämtliche Werke der heiligen Theresia von Jesu, 1952–1956, Band 1, S. 156f., Kösel-Verlag in der Verlagsgruppe Random House, München)

Meister Eckhart, Fülle der Zeit (Meister Eckehart, Deutsche Predigten und Traktate Herausgegeben und übersetzt von Josef Quint © 1977 Carl Hanser Verlag, München, S. 208f.)

Thomas von Kempen, In deiner Hand (Thomas von Kempen, Nachfolge Christi. Hg. von Adolf Donders © 1968 Butzon & Bercker GmbH, Kevelaer, www.bube.de, S. 165)

Benedikt von Nursia, Worte der Weisung (Benedikt von Nursia, Worte der Weisung. Die Regel des heiligen Benedikt als Einführung ins geistliche Leben, Hg. von Emmanuel Jungclaussen, S. 52)

Teresa von Avila, Freie Hingabe (Teresa von Avila, Wege zum inneren Gebet. Ausgew. u. übertr. v. Irene Behn, Einsiedeln Zürich Köln: Benziger 1968, S. 141)

Thomas Merton, Ergebung und Gehorsam (Thomas Merton, Verheißungen der Stille, Luzern, Räber-Verlag 1951, S. 124)

Teresa von Avila, Zur Quelle lebendigen Wassers finden (Teresa von Avila, Wege zum inneren Gebet. Texte von Teresa von Avila. Ausgewählt und übertragen von Irene Behn, Einsiedeln Zürich Köln: Benziger 1968, S. 142f.)

Thomas Merton, Nicht aus eigener Kraft (Thomas Merton, Verheißungen der Stille, Luzern, Räber-Verlag 1951, S. 125)

Johannes vom Kreuz, Neue Wege (Johannes vom Kreuz, Die dunkle Nacht, zitiert nach: ders., Im Dunkel das Licht. Eine Auswahl aus seinen Werken. Übersetzt und eingeleitet von Irene Behn, S. 51)

Thomas Merton, Sehnsucht nach Führung (Thomas Merton, Verheißungen der Stille, Luzern, Räber-Verlag 1951, S. 125)

Johannes vom Kreuz, Für ich weiß nicht was (Johannes vom Kreuz, Die dunkle Nacht der Seele. Sämtliche Dichtungen. Aus dem Spanischen übertragen und eingeleitet von Felix Braun, Salzburg: Otto Müller Verlag 1952, S. 76–78)

Thomas von Kempen, Lerne warten (Thomas von Kempen, Nachfolge Christi. Hg. von Adolf Donders © 1968 Butzon & Bercker GmbH, Kevelaer, www.bube.de, S. 221f.)

II. Einkehr

Heinrich Seuse, Wie man innerlich leben soll (Heinrich Seuse, in: Gundolf Maria Gierath OP, Reichtum des Lebens, Düsseldorf: Albertus-Magnus-Verlag 1956, S. 87f.)

Makarius der Große, Erhörtes (in: Kleine Philokalie, ausgewählt und übersetzt von Matthias Dietz, Zürich: Benziger Verlag 1956, S. 27 © Patmos Verlag GmbH & Co. KG, Düsseldorf)

Meister Eckhart, Die Augen der Seele (Meister Eckehart, Deutsche Predigten und Traktate Herausgegeben und übersetzt von Josef Quint © 1977 Carl Hanser Verlag, München, S. 203)

Johannes Tauler, Seelenspiegel (Johann Tauler, Predigten. In Auswahl übertragen und eingeleitet von Leopold Naumann. Leipzig, Insel-Verlag 1923, S. 34–37)

Thomas von Kempen, Frieden finden (Thomas von Kempen, Nachfolge Christi. Hg. von Adolf Donders © 1968 Butzon & Bercker GmbH, Kevelaer, www.bube.de, S. 27)

Tertullian, Vom Verlieren (Tertullian, Über die Geduld, Private und katechetische Schriften. Aus dem Lateinischen übersetzt von Dr. K. A. Heinrich Keller, BKV, 1. Reihe Bd. 7, Kap. 7, München 1912)

Theolept von Philadelphia, Über die Einfachheit der Seele (in: Kleine Philokalie, ausgewählt und übersetzt von Matthias Dietz, Zürich: Benziger Verlag 1956, S. 169f. © Patmos Verlag GmbH & Co. KG, Düsseldorf)

Johannes von der Leiter, Unbewölkter Seelenhimmel (in: Kleine Philokalie, Zürich: Benziger Verlag 1956, ausgewählt und übersetzt von Matthias Dietz, S. 89 © Patmos Verlag GmbH & Co. KG, Düsseldorf)

Thomas Merton, Wahrhaft kontemplativ (Thomas Merton, Verheißungen der Stille, Luzern, Räber-Verlag 1951, S. 122)

Bonaventura, Einkehren zu sich selbst (Bonaventura/Julian Kaup (Übers.), Pilgerbuch der Seele zu Gott, © Kösel-Verlag in der Verlagsgruppe Random House, München 1961, S. 110f.)

Johannes vom Kreuz, Auf der Suche nach Gott (Johannes vom Kreuz, Habe Gott zum Freund. Gedanken für jeden Tag, ausgewählt von Hanswerner Reißner, Kevelaer, Verlag Butzon und Bercker 1975, S. 118)

Meister Eckhart, Ungezwungen (Meister Eckehart, Deutsche Predigten und Traktate Herausgegeben und übersetzt von Josef Quint © 1977 Carl Hanser Verlag, München, S. 94)

Thomas Merton, Beschaulich (Thomas Merton, Verheißungen der Stille, Luzern, Räber-Verlag 1951, S. 140)

Meister Eckhart, Stufenweise (Meister Eckehart, Deutsche Predigten und Traktate Herausgegeben und übersetzt von Josef Quint © 1977 Carl Hanser Verlag, München, S. 142f.)

Johannes Tauler, Lebendige Wahrheit (Johannes Tauler, Predigten. In Auswahl übertragen und eingeleitet von Leopold Naumann. Leipzig, Insel-Verlag 1923, S. 148f)

Makarius der Große, In der Gegenwart Gottes bleiben (in: Kleine Philokalie, ausgewählt und übersetzt von Matthias Dietz, Zürich: Benziger Verlag 1956, S. 31 © Patmos Verlag GmbH & Co. KG, Düsseldorf)

Thomas von Kempen, Himmlisches schauen (Thomas von Kempen, Nachfolge Christi. Hg. von Adolf Donders © 1968 Butzon & Bercker GmbH, Kevelaer, www.bube.de, S. 87f.)

Cassian, Echte Demut (Cassian, Vierundzwanzig Unterredungen mit den Vätern, BKV, 1 Serie, Bd. 59, Kempten 1879, Kapitel 11–12)

Johannes von Sterngassen, Schweigen und Horchen (Johannes von Sterngassen, Worin sich ein gotthafter Mensch üben soll, in: Gundolf Maria Gierath OP, Reichtum des Lebens. Die deutsche Dominikanermystik des 14. Jahrhunderts, Düsseldorf: Albertus-Magnus-Verlag 1956, S. 95)

Johannes vom Kreuz, Göttliches Schweigen (Johannes vom Kreuz, Habe Gott zum Freund. Gedanken für jeden Tag, ausgewählt von Hanswerner Reißner, Kevelaer, Verlag Butzon und Bercker 1975, S. 173)

Meister Eckhart, Vom Wissen zum Unwissen (Meister Eckhart, Mystische Schriften. Aus dem Mittelhochdeutschen übertragen und mit einem Nachwort versehen von Gustav Landauer, S. 29–30)

Johannes Tauler, Reichtum im Hören (Johann Tauler, Predigten. In Auswahl übertragen und eingeleitet von Leopold Naumann. Leipzig, Insel-Verlag 1923, S. 199)

III. Loslassen

Thomas von Kempen, Wahrer Reichtum (Thomas von Kempen, Nachfolge Christi. Hg. von Adolf Donders © 1968 Butzon & Bercker GmbH, Kevelaer, www.bube.de, S. 113f)

Ignatius von Loyola, Vollkommene Armut (Ignatius von Loyola, Geistliche Übungen, in: ders., Gründungstexte der Gesellschaft Jesu, übersetzt von Peter Knauer, Deutsche Werksausgabe, Bd. II, Würzburg, Echter 1998, S. 169)

Franz von Assisi, Von der Armut im Geiste (Franziskus von Assisi, Worte heiliger Mahnung an alle Brüder, in: Die Schriften des Heiligen Franziskus von Assisi. Einführung, Übersetzung, Auswertung von P. Kajetan Eßer OFM und Lothar Hardick OFM, S. 97)

Meister Eckhart, Was heißt arm sein? (Meister Eckehart, Deutsche Predigten und Traktate Herausgegeben und übersetzt von Josef Quint © 1977 Carl Hanser Verlag, München, S. 303–306)

Teresa von Avila, Armut ist eine Ehre (Aloysius Alkofer, Sämtliche Werke der heiligen Theresia von Jesu, 1952–1956, Band 6, S. 27, Kösel-Verlag in der Verlagsgruppe Random House, München)

Aus der Regel der Heiligen Klara von Assisi, Erbinnen des Himmelreiches (Klara von Assisi, Regel, in: Leben und Schriften der Heiligen Klara von Assisi. Einführung, Übersetzung, Erläuterungen von P. Engelbert Frau OFM, S. 82)

Thomas Merton, Unvollkommene Vollkommenheit (Thomas Merton, Verheißungen der Stille, Luzern: Räber-Verlag 1951, S. 134f.)

Ignatius von Loyola, Auf der Suche nach dem Reich Gottes (Ignatius von Loyola, Geistliche Briefe, eingeführt von Hugo Rahner, Einsiedeln, Zürich, Köln: Benziger 1956, S. 92f.)

Mechthild von Magdeburg, Wahre Wüste (Mechthild von Magdeburg, Das fließende Licht der Gottheit. Herausgegeben von Gisela Vollmann-Profe, Bibliothek des Mittelalters. Bd. 19, S. 54f.)

Thomas Merton, Der Weg zur Beschauung (Thomas Merton, Verheißungen der Stille, Luzern, Räber-Verlag 1951, S. 139)

Meister Eckhart, Wahrhaftes Werden (Meister Eckehart, Deutsche Predigten und Traktate Herausgegeben und übersetzt von Josef Quint © 1977 Carl Hanser Verlag, München, S. 89f.)

Johannes vom Kreuz, Götzen des Herzens (Johannes vom Kreuz, Habe Gott zum Freund. Gedanken für jeden Tag. Ausgewählt von Hanswerner Reißner, Kevelaer, Verlag Butzon und Bercker 1975, S. 107)

Meister Eckhart, Gottes Eigen (Meister Eckehart, Deutsche Predigten und Traktate Herausgegeben und übersetzt von Josef Quint © 1977 Carl Hanser Verlag, München, S. 96)

Johannes vom Kreuz, Fesseln sprengen (Johannes vom Kreuz, Habe Gott zum Freund. Ausgew. v. Hanswerner Reißner, Kevelaer: Verlag Butzon und Bercker 1975, S. 171)

Teresa von Avila, Himmlisches Unterpfand (Teresa von Avila, Nichts soll dich ängstigen. Gedanken für jeden Tag, ausgewählt von Marianne Ligendza, Kevelaer, Butzon und Bercker 1973, S. 17)

Franz von Assisi, Von der Reinheit des Herzens (Franziskus von Assisi, Worte heiliger Mahnung an alle Brüder, in: Die Schriften des Heiligen Franziskus von Assisi. Einführung, Übersetzung, Auswertung von P. Kajetan Eßer OFM und Lothar Hardick OFM, S. 98)

Thomas von Kempen, Ewiges (Thomas von Kempen, Nachfolge Christi. Hg. von Adolf Donders © 1968 Butzon & Bercker GmbH, Kevelaer, www.bube.de, S. 135)

Meister Eckhart, Gott sein lassen (Meister Eckehart, Deutsche Predigten und Traktate Herausgegeben und übersetzt von Josef Quint © 1977 Carl Hanser Verlag, München, S. 214f.)

Klara von Assisi, Auf dem engen Weg (Klara von Assisi, Briefe, in: Leben und Schriften der Heiligen Klara von Assisi. Einführung, Übersetzung, Erläuterungen von P. Engelbert Frau OFM, S. 99)

Meister Eckhart, Lasst ab vom Nichts (Meister Eckehart, Deutsche Predigten und Traktate Herausgegeben und übersetzt von Josef Quint © 1977 Carl Hanser Verlag, München, S. 205)

Basilius der Große, Entsagung (Basilius der Große, 55 ausführliche Regeln in Frage und Antworten, BKV, 1. Serie, Band 48, Kempten 1877, 8. Frage, Antwort 1–2)

Chrysostomus, Mit Wahrheit umgürtet (Des hl. Kirchenlehrers Johannes Chrysostomus ausgew. Schriften Bd. 8; BKV, 2. Reihe, Bd. 15, Kempten, München: Kösel/Pustet 1936. 23. Homilie [Kap. VI, Vers 14], Abschnitt II.)

Meister Eckhart, Lassen heißt frei werden (Meister Eckehart, Deutsche Predigten und Traktate Herausgegeben und übersetzt von Josef Quint © 1977 Carl Hanser Verlag, München, S. 97)

Johannes vom Kreuz, Sich selbst entgehen (Johannes vom Kreuz, Die dunkle Nacht, zitiert nach: ders., Im Dunkel das Licht. Eine Auswahl aus seinen Werken. Übersetzt und eingeleitet von Irene Behn, S. 55f.)

Thomas Merton, Caritas (Thomas Merton, Brot in der Wüste, Einsiedeln, Köln, Zürich: Benziger Verlag 1955, S. 124. Originaltitel: BREAD IN THE WILDERNESS © Copyright 1953 by the Abbey of Our Lady of Gethsemani. Mit freundlicher Genehmigung der Paul & Peter Fritz AG, Literaturagentur)

Johannes vom Kreuz, Selbsterkenntnis (Johannes vom Kreuz, Habe Gott zum Freund. Gedanken für jeden Tag, ausgewählt von Hanswerner Reißner, Kevelaer, Verlag Butzon und Bercker 1975, S. 32)

Franz von Assisi, Gewaltige Liebe (Franziskus von Assisi, Worte heiliger Mahnung an alle Brüder, in: Die Schriften des Heiligen Franziskus von Assisi. Einführung, Übersetzung, Auswertung von P. Kajetan Eßer OFM und Lothar Hardick OFM, S. 160)

Johannes vom Kreuz, Reinigung (Johannes vom Kreuz, Habe Gott zum Freund. Gedanken für jeden Tag, ausgewählt von Hanswerner Reißner, Kevelaer, Verlag Butzon und Bercker 1975, S. 33)

Meister Eckhart, Eigenwillig (Meister Eckehart, Deutsche Predigten und Traktate Herausgegeben und übersetzt von Josef Quint © 1977 Carl Hanser Verlag, München, S. 55f.)

Hildegard von Bingen, Heilig oder hochmütig? (Hildegard von Bingen, Im Licht des Vaters. Gedanken für jeden Tag, ausgewählt von Marianne Ligendza, Kevelaer, Butzon und Bercker 1973, S. 30)

Thomas von Kempen, Die Freiheit des reinen Herzens (Thomas von Kempen, Nachfolge Christi. Hg. von Adolf Donders © 1968 Butzon & Bercker GmbH, Kevelaer, www.bube.de, S. 218f.)

Teresa von Avila, Zufriedenheit (Teresa von Avila, Wege zum inneren Gebet. Texte von Teresa von Avila. Ausgewählt und übertragen von Irene Behn, Einsiedeln Zürich Köln: Benziger 1968, S. 105)

Meister Eckhart, Um Gottes Willen (Meister Eckehart, Deutsche Predigten und Traktate Herausgegeben und übersetzt von Josef Quint © 1977 Carl Hanser Verlag, München, S. 53f.)

Teresa von Avila, Unerklärliche Freude (Teresa von Avila, Wege zum inneren Gebet. Texte von Teresa von Avila. Ausgewählt und übertragen von Irene Behn, Einsiedeln Zürich Köln: Benziger 1968, S. 31f.)

Gregor von Nyssa, Selig werden (Gregor von Nyssa, Acht Homilien, BKV, 1. Reihe, Bd. 56, Kempten, München: Kösel/Pustet 1927, 1. Rede, Abschnitt III.)

Thomas von Kempen, Wissbegierde (Thomas von Kempen, Nachfolge Christi. Hg. von Adolf Donders © 1968 Butzon & Bercker GmbH, Kevelaer, www.bube.de, S. 11f.)

Johannes Tauler, Heilige Einfalt (Johann Tauler, Predigten. In Auswahl übertragen und eingeleitet von Leopold Naumann. Leipzig, Insel-Verlag 1923, S. 166f.)

Teresa von Avila, In seine Hände gegeben (Aloysius Alkofer, Sämtliche Werke der heiligen Theresia von Jesu, 1952–1956, Band 1, S. 212, Kösel-Verlag in der Verlagsgruppe Random House, München)

Basilius von Cäsarea, Nur freier Wille bedeutet Freiheit (Basilius von Cäsarea, Ausgewählte Predigten, BKV, 1. Reihe, Band 47, Kempten, München: Kösel/Pustet 1925, 15. Predigt)

Heinrich Seuse, Bleibe bei nichts, was nicht Gott ist (Heinrich Seuse, in: Gundolf Maria Gierath OP, Reichtum des Lebens. Die deutsche Dominikanermystik des 14. Jahrhunderts, Düsseldorf: Albertus-Magnus-Verlag 1956, S. 86f.)

Johannes Tauler, Wahres Gebet, (Johann Tauler, Predigten. In Auswahl übertragen und eingeleitet von Leopold Naumann. Leipzig, Insel-Verlag 1923, S. 59f.)

Teresa von Avila, Traumhaftes (Teresa von Avila, Wege zum inneren Gebet. Texte von Teresa von Avila. Ausgewählt und übertragen von Irene Behn, Einsiedeln Zürich Köln: Benziger 1968, S. 93)

Basilius von Cäsarea, Gleichmut (Basilius von Cäsarea, Ausgewählte Predigten, BKV, 1. Reihe, Band 47, Kempten, München: Kösel/Pustet 1925, 3. Predigt, Kap. 7)

Gregor von Nyssa, Wesenheit und Leidenschaft (Gregor von Nyssa, Gespräch mit Makrina über Seele und Auferstehung, BKV 1. Reihe, Bd. 47, Kempten, München: Kösel/Pustet 1925, 3. Predigt, Kap. 7.)

IV. Freisein

Ignatius von Loyola, Freiheit des Geistes (Ignatius von Loyola, Geistliche Briefe, eingeführt von Hugo Rahner, Einsiedeln, Zürich, Köln, Benziger Verlag 1956, Merksätze unseres Vaters des Hochw. Herrn Ignatius, Satz 5, S. 335)

Bernhard von Clairvaux, Über die Reinheit (Bernhard von Clairvaux, Sentenzen 5/II, Sämtliche Werle lateinisch/deutsch, Bd. IV, hg. von Gerhard B. Winkler in Verbindung mit Alberich Altermatt, Denis Farkasfalvy, Polykarp Zakar, Innsbruck, Tyrolia 1993, S. 323)

Hesychius, Geistliche Lebenskunst (in: Kleine Philokalie, ausgewählt und übersetzt von Matthias Dietz, Zürich: Benziger Verlag 1956, S. 95 © Patmos Verlag GmbH & Co. KG, Düsseldorf)

Meister Eckhart, Von der Nachfolge Christi (Meister Eckhart, Predigt „Von der Nachfolge Christi", in: Gundolf Maria Gierath OP, Reichtum des Lebens. Die deutsche Dominikanermystik des 14. Jahrhunderts, Düsseldorf: Albertus-Magnus-Verlag 1956, S. 62)

Meister Eckhart, Innerliche Ungebundenheit (Meister Eckehart, Deutsche Predigten und Traktate Herausgegeben und übersetzt von Josef Quint © 1977 Carl Hanser Verlag, München, S. 87)

Thomas von Kempen, Von der Unbeständigkeit (Thomas von Kempen, Nachfolge Christi. Hg. von Adolf Donders © 1968 Butzon & Bercker GmbH, Kevelaer, www.bube.de, S. 209f.)

Evagrius Ponticus, Rauch statt Feuer (in: Kleine Philokalie, ausgewählt und übersetzt von Matthias Dietz, Zürich: Benziger Verlag 1956, S. 41 © Patmos Verlag GmbH & Co. KG, Düsseldorf)

Johannes vom Kreuz, Eine Einzige (Johannes vom Kreuz, Habe Gott zum Freund. Gedanken für jeden Tag, ausgewählt von Hanswerner Reißner, Kevelaer, Verlag Butzon und Bercker, 1975, S. 114)

Teresa von Avila, Befreiung von allen Übeln (Teresa von Avila, Wege zum inneren Gebet. Texte von Teresa von Avila. Ausgewählt und übertragen von Irene Behn, Einsiedeln Zürich Köln: Benziger 1968, S. 167f.)

Thomas Merton, Wirkliches Sehen (Thomas Merton, Verheißungen der Stille, Luzern, Räber-Verlag 1951, S. 133)

Meister Eckhart, Geschaffenes (Meister Eckehart, Deutsche Predigten und Traktate Herausgegeben und übersetzt von Josef Quint © 1977 Carl Hanser Verlag, München, S. 300f.)

Thomas von Kempen, Ohne Sorgen (Thomas von Kempen, Nachfolge Christi. Hg. von Adolf Donders © 1968 Butzon & Bercker GmbH, Kevelaer, www.bube.de, S. 192f.)

Leo der Große, Friede und Freiheit (Leo der Große, Sermones, BKV, 1. Reihe, Bd. 54-55, Kempen, München: Kösel/Pustet 1927, Sermo XXXIX. 1. Predigt auf die vierzigtägige Fastenzeit)

Johannes vom Kreuz, Der Weg zur Wonne (Johannes vom Kreuz, Habe Gott zum Freund. Gedanken für jeden Tag, ausgewählt von Hanswerner Reißner, Kevelaer, Verlag Butzon und Bercker, 1975, S. 103)

Thomas Merton, Die Unmöglichkeit einer schlechten Wahl (Thomas Merton, Verheißungen der Stille, Luzern, Räber-Verlag 1951, S. 129)

Cassian, Kraft und Schwäche des freien Willens (Cassian, Vierundzwanzig Unterredungen mit den Vätern, BKVr, 1 Serie, Bd. 59, Kempten 1879, Kap. 10)

Bernhard von Clairvaux, Freiheit und Gnade (Bernhard von Clairvaux, Buch über die Gnade und den freien Willen, Sämtliche Werke lateinisch/deutsch, Bd. 1, hg. von Gerhard B. Winkler in Verbindung mit Alberich Altermatt, Denis Farkasfalvy, Polykarp Zakar, Innsbruck, Tyrolia 1990, S. 175–185)

Thomas von Aquin, Gott ist die erste Ursache (Thomas von Aquin, Summa Theologica, Bd. 6: Wesen und Ausstattung des Menschen, Verlag Anton Pustet, Salzburg, Leipzig 1937, S. 238)

Irenäus von Lyon, Die Freiheit des Menschen (Irenäus, Gegen die Häresien, BKV, 1. Reihe, Bd. 3, München 1912, 4. Buch, 37. Kapitel: Vom freien Willen des Menschen)

Leo der Große, Wollen und Können (Leo der Große, Sermones, BKV, 1. Reihe, Band 54-55, Kempten, München: Kösel/Pustet 1925, Sermo XXVI. 6. Predigt auf Weihnachten.)

Augustinus, Das Böse nicht mehr wollen können (Augustinus, Enchiridion, BKV, 1. Reihe, Band 49, Kempten, München: Kösel/Pustet 1925; 28. Kapitel)

Irenäus von Lyon, Bei Gott ist kein Zwang (Irenäus, Gegen die Häresien, BKV, 1. Reihe, Bd. 3, München 1912, 4. Buch, 37. Kapitel: Vom freien Willen des Menschen)

Gregor von Nyssa, Freier Wille bedeutet Gottebenbildlichkeit (Gregor von Nyssa, Große Katechese, BKV, 1. Reihe, Bd. 56, Kempten, München: Kösel/Pustet 1927, Kap. 5, Abschnitt 3)

Cassian, Freie Wahl (Cassian, Vierundzwanzig Unterredungen mit den Vätern, BKV, 1 Serie, Band 59, Kempten 1879. Kap. 12)

Thomas von Aquin, Hat der Mensch freie Entscheidung? (Thomas von Aquin, Summa Theologica, Bd. 6: Wesen und Ausstattung des Menschen, Verlag Anton Pustet, Salzburg, Leipzig 1937, S. 235–237)

Gregor von Nyssa, Keine Tugend ohne Freiheit (Gregor von Nyssa, Große Katechese, BKV, 1. Reihe, Bd. 56, Kempten, München: Kösel/Pustet 1927, Kap. 30, Abschnitt 2, Kap. 31, Abschnitt 1)

Hildegard von Bingen, Entscheidungen treffen (Hildegard von Bingen, Im Licht des Vaters. Gedanken für jeden Tag, ausgewählt von Marianne Ligendza, Kevelaer, Butzon und Bercker 1973, S. 151)

Augustinus, Allmacht (Augustinus, Zweiundzwanzig Bücher über den Gottesstaat, BKV, 1. Reihe, Bd. 1, 16, 28, Kempten, München: Kösel/Pustet 1911–16, Buch 5)

Mesrop, Wert und Wertlosigkeit (Ausg. Schriften der armenischen Kirchenväter Bd. 1; BKV, 1. Reihe, Bd. 57, Kempten, München: Kösel/Pustet 1927, Kap. 3.)

Augustinus, Gute Werke (Augustinus, Enchiridion, BKV, 1. Reihe, Band 49, Kempten, München: Kösel/Pustet 1925, Kap. 9)

Meister Eckhart, Wie nenn ich dich? (Meister Eckehart, Deutsche Predigten und Traktate Herausgegeben und übersetzt von Josef Quint © 1977 Carl Hanser Verlag, München, S. 163)

Thomas Merton, Gott ist Freiheit (Thomas Merton, Verheißungen der Stille, Luzern, Räber-Verlag 1951, S. 130)

Bernhard von Clairvaux, Fortschritt in der Liebe (Bernhard von Clairvaux, Buch über die Gnade und den freien Willen, Sentenz III, 103, Sämtliche Werke lateinisch/deutsch, Bd. 1, hg. von Gerhard B. Winkler in Verbindung mit Alberich Altermatt, Denis Farkasfalvy, Polykarp Zakar, Innsbruck, Tyrolia 1990, S. 596–97)

Thomas Merton, Liebe heißt Befreiung (Thomas Merton, Brot in der Wüste, Einsiedeln, Zürich, Köln, Benziger 1955, S. 124f. Originaltitel: BREAD IN THE WILDERNESS © Copyright 1953 by the Abbey of Our Lady of Gethsemani. Mit freundlicher Genehmigung der Paul & Peter Fritz AG, Literaturagentur)

Thomas von Kempen, Deine Wahrheit lehre und behüte mich (Thomas von Kempen, Nachfolge Christi. Hg. von Adolf Donders © 1968 Butzon & Bercker GmbH, Kevelaer, www.bube.de, S. 134)

Meister Eckhart, Wesen und Werk der Liebe (Meister Eckehart, Deutsche Predigten und Traktate Herausgegeben und übersetzt von Josef Quint © 1977 Carl Hanser Verlag, München, S. 66)

Cassian, Notwendige Hilfe (Cassian, Vierundzwanzig Unterredungen mit den Vätern, BKV, 1 Serie, Band 59, Kempten 1879, Kap. 9)

V. Aufstieg

Hildegard von Bingen, Gottes Werkstück (Hildegard von Bingen, Welt und Mensch. Das Buch „De operatione Dei". Aus dem Genter Kodex übersetzt und erläutert von Heinrich Schipperges, Salzburg: Otto Müller Verlag 1965, S. 257f.)

Bonaventura, Feuriges Gebet (Bonaventura/Julian Kaup (Übers.), Pilgerbuch der Seele zu Gott, © Kösel-Verlag in der Verlagsgruppe Random House, München 1961, S. 55)

Hildegard von Bingen, Auf dem Weg zur himmlischen Glückseligkeit (Hildegard von Bingen, Welt und Mensch. Das Buch „De operatione Dei". Aus dem Genter Kodex übersetzt und erläutert von Heinrich Schipperges, Salzburg: Otto-Müller-Verlag 1965, 66f.)

Benedikt von Nursia, Jakobsleiter (Benedikt von Nursia, Worte der Weisung. Die Regel des heiligen Benedikt als Einführung ins geistliche Leben. Hg. von Emmanuel Jungclaussen, S. 93–95)

Thomas von Kempen, Selbstvergessen (Thomas von Kempen, Nachfolge Christi. Hg. von Adolf Donders © 1968 Butzon & Bercker GmbH, Kevelaer, www.bube.de, S. 204f.

Johannes vom Kreuz, Stufenweise (Johannes vom Kreuz, Habe Gott zum Freund. Gedanken für jeden Tag, ausgewählt von Hanswerner Reißner, Kevelaer, Verlag Butzon und Bercker 1975, S. 131)

Bernhard von Clairvaux, Erhobenes Haupt (Bernhard von Clairvaux, Sentenzen 5/II, Sämtliche Werle lateinisch/deutsch, Bd. IV, hg. von Gerhard B. Winkler in Verbindung mit Alberich Altermatt, Denis Farkasfalvy, Polykarp Zakar, Innsbruck, Tyrolia 1993, S. 303).

Thomas Merton, Angenehme Betäubung (Thomas Merton, Der Aufstieg zur Wahrheit, Köln, Zürich, Einsiedeln, Benziger 1952, S. 32. Originaltitel: THE ASCENT TO TRUTH © Copyright 1951 by the Abbey of Our Lady of Gethsemani. Mit freundlicher Genehmigung der Paul & Peter Fritz AG, Literaturagentur)

Johannes Tauler, Frieden haben (Johann Tauler, Predigten. In Auswahl übertragen und eingeleitet von Leopold Naumann. Leipzig, Insel-Verlag 1923, S. 28–31)

Hildegard von Bingen, Wirkmächtig (Hildegard von Bingen, Welt und Mensch. Das Buch „De operatione Dei". Aus dem Genter Kodex übersetzt und erläutert von Heinrich Schipperges, Salzburg: Otto-Müller-Verlag 1965, S. 44f.)

Thomas Merton, Der Glaube übersteigt Grenzen (Thomas Merton, Der Berg der sieben Stufen. Autobiographie, Köln, Benziger 1985, S. 420. Originaltitel: THE SEVEN STORY MOUNTAIN © Copyright 1948 by the Abbey of Our Lady of Gethsemani. Mit freundlicher Genehmigung der Paul & Peter Fritz AG, Literaturagentur)

Augustinus, Freier Geist (Augustinus, Vom ersten katechetischen Unterricht, BKV, 1. Reihe, Bd. 49, Kempten, München: Kösel/Pustet 1925, 9. Buch)

Johannes vom Kreuz, Himmelsreise (Johannes vom Kreuz, Mystische Betrachtung III, in: Die dunkle Nacht der Seele. Sämtliche Dichtungen. Aus dem Spanischen übertragen und eingeleitet von Felix Braun, Salzburg: Otto-Müller-Verlag 1952, S. 54–55)

Johannes Tauler, Gott ist nichts als Leben, Wesen und Wirken (Johann Tauler, Predigten. In Auswahl übertragen und eingeleitet von Leopold Naumann. Leipzig, Insel-Verlag 1923, S. 177f.)

Johannes vom Kreuz, Heilbringende Nacht (Johannes vom Kreuz, Die dunkle Nacht, zitiert nach: ders., Im Dunkel das Licht. Eine Auswahl aus seinen Werken. Übersetzt und eingeleitet von Irene Behn, S. 61f.)

Thomas von Kempen, Liebe (Thomas von Kempen, Nachfolge Christi. Hg. von Adolf Donders © 1968 Butzon & Bercker GmbH, Kevelaer, www.bube.de, S. 138f.)

Anmerkung des Verlages:

Wir danken den Verlagen und Rechteinhabern für die Erteilung der Abdruckgenehmigungen. Bei einigen Texten war es trotz gründlicher Recherchen nicht möglich, die Inhaber der Rechte ausfindig zu machen. Honoraransprüche bleiben bestehen.